BATAILLE DE DAMES

OU

UN DUEL EN AMOUR

COMÉDIE EN TROIS ACTES

PAR

SCRIBE ET LEGOUVÉ

EDITED WITH INTRODUCTION, NOTES, AND
VOCABULARY

BY

CHARLES A. EGGERT, Ph.D.

PROFESSOR OF FRENCH IN ILLINOIS WESLEYAN UNIVERSITY

NEW YORK ·:· CINCINNATI ·:· CHICAGO

AMERICAN BOOK COMPANY

PREFACE

In the preparation of this edition of Scribe's and Legouvé's sprightly and exceedingly interesting comedy *Bataille de Dames*, the editor has endeavored to serve the interests of students who, after finishing an elementary course in French grammar, are ready to enter on the study of French literature.

For this reason he has called attention, in the notes, to the use of the tenses, of the subjunctive, and to special difficulties the English-speaking student meets with in the use of certain modal verbs (for instance *devoir*) in French. In the vocabulary the most important finite forms of the irregular verbs are separately given, with a reference to their infinitive. All idiomatic forms are explained, though in a few cases an equivalent English idiom is given without explanation when the literal meaning is sufficiently evident.

With these and other helps, furnished in the notes and vocabulary, the study of the play will be found enjoyable and profitable as a fine introduction to the best conversational use of the language, and an excellent medium to enable students, in the least irksome way, to enrich their vocabulary and become acquainted with a number of the most idiomatic forms of the language.

CHARLES A. EGGERT.

3

INTRODUCTION

THE comedies of EUGÈNE SCRIBE rank among the most successful representatives of what is called the 'comedy of intrigue,' differing from the 'character comedy' which was most highly developed by MOLIÈRE. The dialogue, with Scribe, is as lively as it is with Molière, but the interest which his comedies awaken centers more on the outside, on the events, and is in so far inferior to that deeper interest which a mature reader will take in the psychological perfection of Molière's best works, his *Misanthrope, Femmes Savantes, Tartufe*.

It would be a mistake, however, to speak of Scribe's best plays as excelling only in incident and intrigue, for his characters, though mostly taken from the higher classes, are nevertheless drawn from life and with considerable art ; they are by no means mere figureheads, but appear before us full of individual life, and in great variety.

Scribe was born December 24, 1791, and died February 20, 1860. Born during the Republic, he lived through the Empire, the reign of the restored Bourbons, and through the most brilliant period of the Second Empire under Napoleon III. The age was materialistic, the pursuit of wealth and pleasure its prominent feature. The public wanted to be entertained, and Scribe was the author who seemed specially fitted to satisfy the demand. He was the most popular author of comedies of his time, immensely productive, and well rewarded for his work. Some of his plays, especially *Le Verre d'Eau, Bataille de Dames, Les Contes de la Reine de Navarre*, etc., were favorites on all European stages and hold their place on the répertoire to the present day.

Having lost both his parents in early youth, he tried vainly for some time to find his true vocation. After studying law long enough to discover that this line of work did not suit him, he wrote his first comedy, *Les Dervis*, in 1811. But neither this nor several others that followed it in quick succession proved acceptable to the public. Five years afterwards success came through two comedies, *L'Auberge* and *Une nuit de garde nationale.* Later he gained access to the 'Théâtre français,' which presented all his most famous plays. The *Bataille de Dames* appeared on this stage in 1851 and proved a great success. Like the elder DUMAS, in his numberless novels, Scribe associated with himself a number of writers of more or less ability, among them LEGOUVÉ, in order to meet the demand for his comedies. Legouvé was of a more sentimental turn than Scribe, but a good writer. His influence may be noticed in the present piece, though it would be a fruitless as well as useless undertaking to attempt a sifting of the special work of the two writers.

In the *Bataille de Dames* the principal *battle* is not between the ladies, but between the older of them, the countess, and the prefect. This idea was no doubt original with Scribe, for we find it already, though differently carried out, in his *Verre d'Eau*, in which the battle or combat is between the Marchioness of Marlborough and Bolingbroke, the famous wit and unscrupulous politician. In both plays a young girl complicates the action, but in the *Verre d'Eau* the woman loses and the man wins the battle, while in *Bataille de Dames* the man (Montrichard) is defeated.

The two ladies in this play are rivals, but the younger unconsciously so. It is the older, the countess, who does the fighting, not only with the prefect, but with her own heart, and with the youthful charms of her niece. The gain falls to the younger lady, who, though a skillful artist in drawing and painting, does nothing to win our respect, and is passably silly in the hour of trial.

Scribe's activity was not limited to the stage ; he also published a large number of tales, novels, etc. His literary eminence, however, rests on his comedies. He also furnished a number of the most interesting librettos for the operas of celebrated composers, such as Auber (*Fra Diavolo, La Muette de Portici*, etc.) ; Boïeldieu (*La Dame Blanche* = the 'Lady of Avenel') ; Meyerbeer (*Les Huguenots*, etc.).

PERSONNAGES

La Comtesse d'Autreval, *née Kermadio.*

Léonie de la Villegontier, *sa nièce.*

Henri de Flavigneul.

Gustave de Grignon.

Le Baron de Montrichard.

Un Sous-Officier de Dragons.

Un Domestique.

La scène se passe au château d'Autreval, près de Lyon, en octobre, 1817.

BATAILLE DE DAMES

ACTE PREMIER

Le théâtre représente un salon d'été élégant. — Deux portes latérales sur le premier plan. — Cheminée au plan de gauche. — Une porte au fond. — Guéridon à gauche. — Petite table et canapé à droite.

SCÈNE I

Au lever du rideau, CHARLES, *en livrée élégante et tenant*
5 *à la main des lettres et des journaux, est debout devant un*
chevalet placé à gauche du public. LÉONIE *entre par la*
porte du fond.

CHARLES, *regardant le tableau posé sur le chevalet.*
C'est charmant ! . . . charmant ! . . . une finesse ! une
10 grâce ! . . .

2 *premier plan:* see *plan.* It connects with a corresponding side scene (*pan coupé*) through which there is a passage called *coulisse.* Of such plans, *pans coupés,* and *coulisses,* a stage has from three to four, numbered *first* in front, and *third* or *fourth* in the rear. The rear itself is called *fond.* As the stage slightly rises toward the rear an actor is said to "go up" (*monter*), or "go up again" (*remonter*), when he walks toward the rear, while he "descends" (*descendre, redescendre*) in walking toward the front, or *premier plan.* The general term for the side scenes is *cantonade; * an actor speaking from the side, but not yet seen, speaks *à la cantonade,* or *dans la coulisse.*

LÉONIE, *qui vient d'entrer, apercevant Charles.* Qu'est-
ce que j'entends? . . . (*Après un instant de silence et
d'un ton sévère.*)   Charles! . . . Charles!

CHARLES, *se retournant brusquement et s'inclinant.*
5 Mademoiselle!

LÉONIE.   Que faites-vous là?

CHARLES.   Pardonnez-moi, mademoiselle, je regardais
le portrait de madame votre tante, notre maîtresse . . .
car je l'ai reconnu tout de suite . . . tant il est ressem-
10 blant!

LÉONIE.   Qui vous demande votre avis?   Les lettres?
les journaux?

CHARLES.   Je suis allé ce matin à Lyon à la place du
cocher, qui n'en avait pas le temps, et j'ai rapporté des
15 lettres pour tout le monde.   Pour mademoiselle, d'abord!

LÉONIE, *vivement.* Donnez! . . . (*Poussant un cri.*)
Ah! . . . de Paris! . . . d'Hortense . . . mon amie d'en-

---

3 Charles has to be called twice because this is not his real name.
The explanation follows later.   (Cf. the text of the letter on p. 13, and
note 15, p. 22.)

7 *Mademoiselle, madame, monsieur,* are politely placed before such
nouns as *mère, père, oncle, tante, sœur,* etc., also before titles and the
like.   Charles takes a liberty in adding *votre tante,* a familiarity of
which a regular servant would not be guilty.   A servant says *Madame,*
or *Madame la Comtesse,* when speaking of his mistress.

13 *Je suis allé:* "I went."   The English imperfect, not the perfect,
is the proper equivalent of the French perfect, called *passé indéfini,*
when the verb denotes time definitely past.   This latter in French is
regularly used for a definite past.   Cf. "I have received a letter to-day,"
"I received a letter yesterday."   In French *j'ai reçu* is the proper tense
for both.   Theoretically, the definite past, *passé défini,* is correct, but
such forms as *j'allai,* etc., are rarely used in conversation; they are
limited to books.

fance ! . . . (*Parcourant la lettre.*)   Chère Hortense ! . . .
elle s'inquiète des "troubles de Lyon ! . . . des complots
qui nous environnent.   Quant à la cour . . . il est difficile que cela aille bien . . . en l'an de grâce 1817, sous
5 un roi qui fait des vers latins et qui ne donne jamais de
bal." (*S'interrompant.*)   Elle me demande : *Si je me
marie* . . . Ah bien oui ! . . . est-ce qu'on a le temps de
songer à cela ! . . .   Les jeunes gens s'occupent de politique et non pas de demoiselles !

10   CHARLES. Deux lettres pour madame. . . .   (*Lisant
l'adresse.*) "Madame la comtesse d'Autreval, née Kermadio . . ." (*Haut.*) et timbrée d'Auray, pleine Vendée
. . . (*Léonie regarde Charles en fronçant le sourcil.*) C'est
tout simple ! . . . une excellente royaliste comme ma-
15 dame !

    LÉONIE. Encore ! . . .

    CHARLES, *posant d'autres lettres sur la table.*   Celles-ci
pour le frère de madame la comtesse . . . et pour M.

---

5 Court festivities were frequent under former rulers of France,
including Napoleon I.

7 *Ah bien oui!* expressing indignation and irony.

8 Observe that in French *jeunes gens* stands for young men, and
jeunes personnes for young ladies. *Une jeune dame* might mean a
married lady.

12 *Vendée:* the western part of the ancient province of Poitou.
The capital of the latter was Poitiers. There Charles Martel crushed
the Arabs in 732, and the English, under the "Black Prince," defeated
Jean le Bon in 1356. The population of the Vendée was ultra-royalist.
The name Kermadio is peculiar to this part of France (the middle
west, and northwest). Observe that a servant is not apt to know or
take interest in such facts.

18. M. = *monsieur*, see voc.

Gustave de Grignon . . . ce jeune maître des requêtes
. . . qui est ici depuis huit jours.

LÉONIE, *avec humeur*. Il suffit . . . Les journaux?
. . .

CHARLES, *les présentant*. Les voici!

5 LÉONIE. Dans un joli état.

CHARLES. C'est que le cocher et la femme de chambre
voulaient les lire avant madame et mademoiselle, ce qui
est leur manquer de respect . . . et je me suis opposé.
. . .

LÉONIE, *l'interrompant*. C'est bien! je ne vous en
10 demande pas tant.

CHARLES. Je ne croyais pas que mademoiselle me
blâmerait de mon zèle. . . .

LÉONIE, *sèchement*. Ce qui souvent déplaît le plus, c'est
l'excès de zèle.

15 CHARLES, *souriant*. Comme disait M. de Talleyrand.

---

1 *maître des requêtes:* an employé of the *Conseil d'État* (Department
of the Interior) whose business it is to report to the council and keep
on record all petitions, claims, etc., addressed to it.

2 The present tense is required because the young man is still
here. This distinction is disregarded in English. We must translate
"who has been here a week." (Observe that the literal meaning in
French for this perfect would be that "he is gone.")

3 *humeur:* not identical with "humor." In translating the English "humor" the French are obliged to use the English form.

6 *C'est que:* here = *C'est parce que,* see *que.*

9 *C'est bien* generally corresponds to "very well," "all right," not
"it is well."

15 *Comme disait,* etc. It is quite unthinkable that a mere servant
should be acquainted with such keen remarks of a diplomat of the
highest rank. Talleyrand-Périgord (1754–1838) served the cause of

LÉONIE, *se retournant avec étonnement*. Voilà qui est trop fort ! et si M. Charles se permet. . . .

SCÈNE II

LES MÊMES, LA COMTESSE.

LA COMTESSE. Quoi donc ? . . . qu'y a-t-il, ma chère
5 Léonie ?

LÉONIE. Ce qu'il y a, ma tante ! ce qu'il y a ? . . . M. Charles qui cite M. de Talleyrand !

LA COMTESSE, *souriant*. Un homme qui a porté malheur à tous ceux qu'il a servis ! . . . mauvaise recommandation pour un domestique. . . . Rassure-toi . . .
10 Charles aura lu cela quelque part . . . sans comprendre ! . . .

CHARLES, *s'inclinant respectueusement*. Oui, madame, et je ne pensais pas que cela offusquât mademoiselle.

France, often under the greatest difficulties, but was never seriously attached to the masters of the country. He abandoned one after the other when their power began to wane.

3 French *donc* sometimes = English "then," used as a mere expletive, never as denoting time. See the vocabulary.

7 *malheur*. Talleyrand was unscrupulous, but he was not the cause of the misfortune of those who employed him. However, what the countess says was what the public believed.

10 *aura :* here = "must have" or "may have."

13 *offusquât*. Charles betrays himself by the use of a past subjunctive, which is never met with in ordinary French conversation, and but rarely in the conversational language of even the highest circles. Observe that the past subjunctive is derived from the past definite; neither the one nor the other is heard, as a rule, in common conversation.

LÉONIE. *Offusquât* . . . un subjonctif à présent. . . .

LA COMTESSE, *à Charles, qui veut s'excuser.* Pas un mot de plus ! . . . vous parlez trop. . . . Je connais vos bonnes qualités, votre dévouement pour moi . . . mais 5 vous oubliez trop souvent votre situation; ne me forcez pas à vous la rappeler. Votre place, d'ailleurs, n'est pas ici ! . . . je vous ai pris uniquement pour soigner les jeunes chevaux de mon frère . . . allez à votre service ! . . . (*Charles la salue respectueusement, lui remet les* 10 *deux lettres qui sont à son adresse et sort par la porte du fond.*)

SCÈNE III

LÉONIE, LA COMTESSE.

LA COMTESSE, *tout en décachetant ses lettres.* Jusqu'à M. Charles, jusqu'aux domestiques qui veulent se donner de l'importance ! . . .

15 LÉONIE. Oh ! mais . . . une importance dont vous n'avez pas d'idée. . . .

LA COMTESSE, *ouvrant une des lettres.* En vérité . . . dis-moi donc cela. . . . (*Vivement.*) Non, non . . . tout à l'heure ! . . . laisse-moi d'abord parcourir mon 20 courrier.

15 *vous.* Observe that the younger lady uses the respectful *vous* in speaking to her aunt, while the latter says *tu, toi* to her niece, whom she looks upon as a child, or member of her own family. Changing the familiar *tu* to the formal *vous* may be a sign of reproof or displeasure. Cf. l. 21, p. 36.

19 *tout à l'heure:* see *heure.*

LÉONIE.   C'est trop juste! je viens de lire le mien.
. . . (*La comtesse, à droite du spectateur, lit avec émotion et à part sa lettre qu'elle vient de décacheter, tandis
que Léonie, près de la table à gauche, parcourt les jour-*
5 *naux.*)

LA COMTESSE.   C'est d'elle! . . . Pauvre amie! . . .
comme elle tremblait en écrivant! "Ma chère Cécile,
soyez bénie mille fois!   Je reprends espoir depuis que je
sais mon fils auprès de vous.   Votre château, situé à deux
10 lieues de la frontière, lui permet d'attendre sans danger
l'issue de ce procès fatal . . . et d'ailleurs, qui pourrait
soupçonner que le château de la comtesse d'Autreval
recèle un homme accusé de conspiration contre le roi?
Du reste, que vos opinions politiques se rassurent. . . ."
15 (*S'interrompant.*)   Est-ce que mon cœur a des opinions
politiques? . . . (*Reprenant.*)   "Henri n'est pas coupable; un malheureux coup de tête qu'il vous racontera
lui a seul donné une apparence de conspirateur; mais
cette apparence suffirait mille fois pour le perdre, s'il était
20 pris.   D'un autre côté, l'on assure qu'on ne veut pas
pousser plus loin les rigueurs, et l'on dit, mais est-ce
vrai? que le maréchal commandant la division vient de
partir pour Lyon avec une mission de clémence. . . ."

---

1 *C'est trop juste:* see *juste.*   The distinction between *trop* and *très*
is in the greater emphasis of *trop*, somewhat like "only too" or "perfectly."

13 *que . . . rassurent:* see *rassurer.*   Observe the subjunctive
imperative beginning with *que.*

20 *l'on:* for *on* when either the preceding word (*et*) or the next
word (*assure*) begins with a vowel.

LÉONIE, *à droite, poussant un cri*. Ah! qu'est-ce que je lis!

LA COMTESSE.   Qu'est-ce donc?

LÉONIE, *montrant le journal*.   Encore une condamnation à mort!

5 LA COMTESSE. Ah! Mon dieu!

LÉONIE.   "Le conseil de guerre, séant à Lyon, a condamné hier le principal chef du complot bonapartiste, M. Henri de Flavigneul, un jeune homme de vingt-cinq ans!"

10 LA COMTESSE. Qui heureusement s'est évadé avec l'aide de quelques amis, m'a-t-on dit.

LÉONIE. Oui! oui! . . . je me rappelle maintenant . . . cette évasion qui excitait l'enthousiasme de M. Gustave de Grignon.

15 LA COMTESSE. Notre jeune maître des requêtes.

LÉONIE. Il n'avait qu'un regret, c'est de n'avoir pas été chargé d'une pareille expédition; c'est beau! . . . c'est brave! . . .

LA COMTESSE. Il a de qui tenir! Sa mère, qui avait 20 comme moi traversé toutes les guerres de la Vendée, sa mère avait un courage de lion!

LÉONIE. C'est pour cela que M. de Grignon parle toujours, à table, d'actions héroïques.

LA COMTESSE. Et le curieux, c'est que son père était, 25 dit-on, peureux comme un lièvre!

19 *Il a de qui tenir:* see *tenir*.

20 The uprising of the Vendée was suppressed by Hoche, a young French general of the Republic, after prolonged and hard fighting. In this uprising several royalist ladies played a conspicuous part.

24 *Et le curieux* (with noun omitted): see *curieux*.

LÉONIE.   Vraiment? . . . c'est peut-être pour cela que
l'autre jour il est devenu tout pâle quand la barque a
manqué chavirer sur la pièce d'eau !

LA COMTESSE, *riant.*   A merveille ! . . . vous allez
5 voir qu'il est à la fois brave et poltron !

LÉONIE.   Je le lui demanderai.

LA COMTESSE.   Y penses-tu?

LÉONIE.   Aujourd'hui, en dansant avec lui, car
nous avons un bal et un concert pour votre fête
10 . . . et j'ai déjà pensé à votre coiffure, un azaléa
superbe que j'ai vu dans la serre et qui vous ira à
merveille !

LA COMTESSE.   Coquette pour ton compte . . . je le
concevrais ! mais pour ta tante ! . . .

15 LÉONIE.   C'est tout naturel ! . . . vous c'est moi !
tellement que quand on fait votre éloge, ce qui arrive
souvent, je suis tentée de remercier. . . . (*Se mettant à
genoux près du canapé à droite où est assise la comtesse.*)
Aussi jugez de ma joie, quand ma mère m'a permis de venir
20 passer un mois ici, auprès de vous. . . .   Il me semblait

---

3 *manqué = failli.*

6 Note that *demander* takes *à* before a personal object; here omitted
because *lui* is used as a conjunctive pronoun.   Cf. *Je le demanderai à
elle,* "I shall ask her about it."

7 *Y penses-tu?* has not here its literal meaning; see *penser.*

9 The *fête* of a person is the *fête de la naissance,* birthday festivity,
or else the *fête* of the saint whose name the person bears.

11 *ira à merveille:* see *aller* and *merveille.*

13 *Coquette :* supply *si tu étais.*

20 *auprès de* . . ., differs from *chez vous,* which refers especially to the
house, etc.

que rien qu'en vous regardant, j'allais devenir parfaite.
. . . Vous souriez . . . est-ce que j'ai mal parlé? . . .

LA COMTESSE. Non, chère fille, car c'est ton cœur
qui parle. . . . Si je souris, c'est de tes illusions! c'est
5 de ta candeur à me dire: Je vous admire!

LÉONIE. C'est si vrai! A la maison l'on me raille
parfois et l'on répète sans cesse: Oh! quand Léonie a
dit *Ma tante*, elle a tout dit! On a raison . . . la
mode que vous adoptez, la robe que je vous vois, me
10 semblent toujours plus belles qu'aucune autre. . . . On
dit même, vous ne savez pas, ma tante? on dit que j'imite
votre démarche et vos gestes . . . c'est bien sans le
savoir. Et quand vous m'embrassez en m'appelant: Ma
chère fille! je suis presque aussi heureuse que si j'enten-
15 dais ma mère!

LA COMTESSE, *l'embrassant*. Prends garde! . . .
prends garde . . . il ne faut pas me gâter ainsi . . .
j'aurai trop de chagrin de te voir partir. . . . Ce sera
ma jeunesse qui s'en ira!

20 LÉONIE. Mais vous êtes très jeune, à vous toute seule,
ma tante!

---

1 *rien . . . regardant:* see *rien.* — *j'allais*, here = *j'irais.* This
substitution of an imperfect indicative for a conditional is idiomatic.

6 *l'on* for *on* because of the *on* in *maison.* The repetition would be
inelegant.

9 *la robe . . . vois:* 'the dress I see you wear.' — *vous* = *à vous*, 'on
you,' indirect object of *vois.*

11 *vous ne savez pas?* see *savoir.* — *ma* before *tante* is affectionate.

12 *bien:* the many uses of this word must be learned from the vocabulary, and by close attention to the context.

20 *à vous toute seule:* see *seul.*

LA COMTESSE. Certainement . . . d'une jeunesse de
. . . Voyons! devine un peu le chiffre. . . .

LÉONIE. Je ne m'y connais pas, ma tante!

LA COMTESSE. Je vais t'aider. . . . Trente. . . .

5 LÉONIE. Trente. . . .

LA COMTESSE. Allons, un effort. . . .

LÉONIE. Trente et un.

LA COMTESSE. On ne peut pas être plus modeste!
. . . J'achèverai donc . . . trente-trois! Oui, chère fille,
10 trente-trois ans! L'année prochaine, je n'en aurai peut-
être plus que trente-deux . . . mais maintenant . . . voilà
mon chiffre! Hein! . . . quelle vieille tante tu as là. . . .

LÉONIE. Vieille! . . . chaque matin je ne forme qu'un
vœu, c'est de vous ressembler!

15 LA COMTESSE. Ce que tu dis là n'a pas le sens commun; mais c'est égal, cela me fait plaisir. . . . Eh bien!
voyons, mon élève, car j'ai promis à ta mère de te faire
travailler . . . as-tu dessiné ce matin?

LÉONIE. J'étais descendue pour cela dans ce salon, et
20 devinez qui j'ai trouvé tout à l'heure devant mon chevalet,
et regardant votre portrait? . . .

2 *un peu* = "just."   3 *Je ne m'y connais pas:* see *connaître.*
6 *Allons:* see *aller.*

11 *plus que.* The student should note that when *plus* belongs to a
number, the preposition *de*, not the conjunction *que*, must follow it and
precede the number. Hence, when *plus* is followed by *que*, it modifies
the verb and does not affect the number. What the countess says
means "I shall be no longer (*ne . . . plus*) anything but thirty-two."
If she had said, *Je n'en aurai pas plus de trente-deux*, the English would
be, "I shall not be more than thirty-two."

16 *c'est égal:* see *égal.* — *Eh bien:* not "oh, well."

LA COMTESSE.   Qui donc? . . .

LÉONIE.   M. Charles.

LA COMTESSE.   Eh bien? . . .

LÉONIE.   Eh bien! ma tante, figurez-vous qu'il disait:
5 C'est charmant!

LA COMTESSE.   Et cela t'a rendue furieuse! . . .

LÉONIE.   Certainement! . . . Un domestique! est-ce
qu'il doit savoir si un dessin est joli ou non? . . .

LA COMTESSE, *riant*.   Oh! petite marquise!

10 LÉONIE.   Ce n'est pas tout! croiriez-vous, ma tante,
qu'il chante?

LA COMTESSE.   Eh bien! s'il est gai, ce garçon! . . .
Est-ce que Dieu ne lui a pas permis de chanter comme
à toi!

15 LÉONIE.   Mais . . . c'est qu'il chante très bien! voilà
ce qui me révolte!

LA COMTESSE. Ah! . . . ah! . . . conte-moi donc
cela.

LÉONIE. Hier, je me promenais dans le parc. En
20 arrivant derrière la haie du bois des Chevreuils, j'entends une voix qui chantait les premières mesures d'un
air de Cimarosa, mais une voix charmante, une méthode

---

9 *petite marquise* is a term in popular use to denote a young girl
who assumes aristocratic airs; see *marquise.*

12 *s'il est gai, ce garçon!* "supposing he is in a merry mood!"

15 *c'est que:* see *que* and determine which of the two renderings
there given will fit this case.

22 Cimarosa (1740–1801), an Italian composer whose melodious
compositions were not popular, but were (and are still) greatly admired
by persons of refined taste. Here again we observe the utter incon-
gruity of the manners of Charles, apparently a servant.

pleine de goût. . . . Je m'approche . . . c'était M.
Charles!

LA COMTESSE. En vérité!

LÉONIE, *avec dépit.* Vous riez, ma tante; eh bien!
5 moi, cela m'indigne . . . je ne sais pas pourquoi, mais cela
m'indigne! Comment distinguera-t-on un homme bien
né d'un valet de chambre, s'ils sont tous deux élégants
de figure, de manières . . . car, remarquez, ma tante,
qu'il est tout à fait bien de sa personne, et lorsqu'à
10 table il vous sert, qu'il vous offre un fruit, c'est avec un
choix de termes, un accent de bonne compagnie qui me
mettent hors de moi . . . parce qu'il y a de l'impertinence à lui à s'exprimer aussi bien que ses maîtres! cela
nous déconsidère, cela nous. . . . (*Avec impatience.*)
15 Enfin, ma tante, je ne sais comment vous exprimer ce que
je ressens, mais moi, qui suis bienveillante pour tout le
monde, j'éprouve pour cet insolent valet une antipathie
qui va jusqu'à l'aversion, et si j'étais maîtresse ici, bien
certainement il n'y resterait pas!

20 LA COMTESSE, *gaiement.* Là . . . là . . . calmons-
nous! avant de le chasser, il faut permettre qu'il s'ex-
plique, ce garçon. . . . (*Elle sonne.*)

LÉONIE. Est-ce pour lui que vous sonnez, ma tante?

LA COMTESSE. Précisément! . . . (*A un domes-*
25 *tique qui entre.*) Charles est-il là?

LE DOMESTIQUE. Oui, madame la comtesse.

---

6 *bien né:* originally a term of aristocratic arrogance.

9 *bien de sa personne:* see *personne* and *bien.*

11 *accent de bonne compagnie:* see *accent.*

LA COMTESSE. Qu'il vienne! . . . (*Le domestique sort.*)

LÉONIE. Mais ma tante . . . qu'allez-vous lui dire?

LA COMTESSE. Sois tranquille!

5   LÉONIE. Je ne voudrais pas qu'il crût que c'est à cause de moi que vous le grondez!

LA COMTESSE, *gaiement.* Pourquoi donc? ne trouves-tu pas qu'il t'a manqué de respect! . . .

SCÈNE IV

LES PRÉCÉDENTS, CHARLES.

CHARLES. Madame m'a appelé? . . .

10   LA COMTESSE. Oui. Approchez-vous, Charles; vous me forcerez donc toujours à vous adresser des reproches. Pourquoi vous êtes-vous permis . . .

LÉONIE, *bas à la comtesse.* Il ne savait pas que j'étais là. . . .

15   LA COMTESSE, *à Léonie.* N'importe! . . . (*A Charles.*) Pourquoi vous êtes-vous permis de vous approcher de mon portrait, du dessin de ma nièce, et de dire . . . qu'il était charmant. . . .

CHARLES. J'ai dit qu'il était ressemblant, madame la 20 comtesse.

LA COMTESSE. C'est précisément ce mot qui est de trop: approuver c'est juger; et on n'a le droit de juger que ses égaux.

---

1 *Qu'il vienne:* note that this is the regular form of the third person of the imperative. Cf. l. 13, p. 13.   5 *crût*, past subj.

CHARLES. Je demande pardon à mademoiselle de l'avoir offensée . . . à l'avenir, je ne ferai plus que penser ce que j'ai dit.

LA COMTESSE. C'est bien. . . .

5 LÉONIE, à part. Du tout, c'est mal! voilà encore une de ces réponses qui m'exaspèrent. . . .

LA COMTESSE, à Charles. Avez-vous préparé la petite ponette de mon frère, comme je vous l'avais dit?

CHARLES. Oui, madame.

10 LA COMTESSE. Eh bien! ma chère Léonie, le temps est beau, va mettre ton habit de cheval, et tu essaieras la ponette dans le parc.

LÉONIE. Avec vous, chère tante? . . .

LA COMTESSE. Non, avec mon frère . . . et Charles 15 vous suivra.

LÉONIE. Mais . . .

LA COMTESSE. Il est fort habile cavalier, et son habileté rassure ma tendresse pour toi!

LÉONIE. J'y vais, chère tante. . . . (En s'en allant.) 20 Ah! je le déteste!

SCÈNE V

LA COMTESSE, HENRI, *sous le nom de Charles.*

LA COMTESSE. Eh bien! méchant enfant, vous ne serez donc jamais raisonnable?

HENRI. Grondez-moi, vous grondez si bien!

---

5 *Du tout:* see *tout,* — observe that the verb (with *ne*) is omitted.

La Comtesse. Vous ne me désarmerez pas par vos cajoleries! Vous exposer sans cesse à être découvert ou par Léonie ou même par un de mes gens . . . aller chanter un air de Cimarosa dans le parc; et le bien 5 chanter encore. . . .

Henri. Ce n'est pas ma faute; je me rappelais toutes vos inflexions.

La Comtesse. Taisez-vous! . . . vos flatteries me sont insupportables . . . ingrat! . . . je ne vous parle 10 pas seulement pour moi qui vous aime en sœur . . . mais pour votre pauvre mère. . . .

Henri. Vous avez raison! . . . voyons, que dois-je faire?

La Comtesse. D'abord, répondre quand j'appelle 15 Charles . . . et ne pas dire: quoi? quand quelqu'un dit Henri.

Henri. La vérité est que je n'y manque jamais.

La Comtesse. Puis, ne plus vous extasier devant les dessins de ma nièce, et ne pas répondre comme 20 tout à l'heure: Je ne ferai plus que penser ce que j'ai dit! Hypocrite! . . . il ne peut pas se décider à ne pas être charmant. Enfin, ne pas vous exposer, comme vous l'avez fait ce matin encore, malgré ma défense, en allant à Lyon. Mais, malheu-

7 *vos inflexions:* he had repeated an air he had heard the countess sing.

15 Cf. note 3, p. 8.

24 *Lyon:* at this time (1817) Savoy was not yet French. The estate of the countess must be supposed to be a short distance east of Lyons but near the then Italian (Savoy) frontier. The imprudence of

reux enfant! vous ne savez donc pas qu'il s'agit de vos
jours?

HENRI, *gaiement.* Bah!

LA COMTESSE. Tout est à craindre depuis l'arrivée du
5 baron de Montrichard.

HENRI. Le baron de Montrichard!

LA COMTESSE. Oui . . . le nouveau préfet . . . il a
la finesse d'une femme, il est rusé comme un diplomate,
et avec cela actif, persévérant . . . et penser que c'est à
10 moi peut-être qu'il doit sa nomination!

HENRI. Vous, comtesse? vous avez fait nommer un
homme comme lui, dévoué pendant vingt ans, corps et
âme, au Consulat et à l'Empire?

LA COMTESSE. C'est pour cela! il est toujours dévoué
15 corps et âme à tous les gouvernements établis, et il les
sert d'autant mieux qu'il veut faire oublier les services
rendus à leurs prédécesseurs . . . aussi va-t-il vouloir
signaler son installation par quelque action d'éclat.

HENRI. C'est à dire en faisant fusiller deux ou trois
20 pauvres diables qui n'en pensent mais . . .

LA COMTESSE. Non, il n'est pas cruel: au contraire!
je sais même qu'il avait demandé une amnistie générale;

Charles was great, because it was at Lyons that but recently a demon-
stration in favor of Bonapartism had been sternly suppressed, and
where "Charles" himself had been arrested and imprisoned. Lyons
is the second largest city of France (nearly 500,000 inhabitants).

1 *il s'agit de vos jours:* see *agir.*

13 *le Consulat:* the name given to the French government from
1799–1804. It followed the Directoire and was itself supplanted by
the Empire when the "first consul" became emperor in 1804.

20 *mais:* colloquial, see *mais.*

mais l'idée de découvrir un chef de conspirateurs va le
mettre en verve ! il déploiera contre vous les ressources
de son esprit . . . votre signalement sera partout . . . je
le sais . . . le premier soldat pourrait vous reconnaître.

5   HENRI. Eh bien ! vous l'avouerai-je ? il y a dans ces
périls, dans cette vie de conspirateur poursuivi . . . je
ne sais quoi qui m'amuse comme un roman ! rien ne me
divertit autant que d'entendre prononcer mon nom dans
les marchés, que d'acheter aux crieurs des rues ma con-
10 damnation, que d'interroger un gendarme qui pourrait me
mettre la main sur le collet . . . et de lui parler de moi.
— Eh bien ! monsieur le gendarme, ce Henri de Flavigneul, est-ce qu'il n'est pas encore pris ? — Non, vraiment, c'est un enragé qui tient à la vie, à ce qu'il paraît.
15 Dites-moi donc un peu son signalement, si vous l'avez ?

LA COMTESSE. Mais vous me faites frémir ! . . . Oh !
les hommes ! toujours les mêmes ! . . . n'ayant jamais
que leur vanité en tête ; vanité de courage ou vanité d'esprit.   Eh bien ! tenez, pour vous punir, ou pour vous en-
20 chanter peut-être . . . qui sait ? . . . voyez cette lettre
de votre mère . . . savourez les traces de larmes qui la
couvrent . . . dites-vous que si vous étiez condamné, elle
mourrait de votre mort . . . ajoutez que si je vous voyais
arrêté chez moi, je croirais presque être la cause de votre
25 perte et que j'aurais tout à la fois le désespoir du regret
et le désespoir du remords . . . allons, retracez-vous bien
toutes ces douleurs . . . c'est du dramatique aussi, cela
. . . c'est amusant comme un roman.   Ah ! vous n'avez
pas de cœur !

HENRI. Pardon ! . . . pardon ! . . . j'ai tort ! . . . oui,
quand notre existence inspire de telles sympathies, elle
doit nous être sacrée : je me défendrai . . . je veillerai
sur moi . . . pour ma mère . . . et pour . . . (*Lui pre-*
5 *nant sa main.*) et pour ma sœur !

LA COMTESSE. A la bonne heure ! voilà un mot qui
efface un peu vos torts. Pensons donc à votre salut . . .
cher frère . . . et pour que je puisse agir, racontez-moi
en détail ce coup de tête, dont me parle votre mère et
10 qui vous a changé, malgré vous, en conspirateur.

HENRI. Le voici. Vous le savez, ma famille était
attachée, comme la vôtre, à la monarchie, et mon père
refusa de paraître à la cour de l'empereur.

LA COMTESSE. Oui ; il avait la manie de la fidélité,
15 comme moi !

HENRI. Mais le jour où j'eus quinze ans : "Mon fils,
me dit-il, j'avais prêté serment au roi, j'ai dû le tenir et
rester inactif. Toi, tu es libre, un homme doit ses services à son pays ; tu entreras à seize ans à l'école mili-
20 taire, et à dix-huit dans l'armée." Je répondis en
m'engageant le lendemain comme soldat et je fis la
campagne de Russie et d'Allemagne. C'est vous dire

---

6 *A la bonne heure :* see *heure.* This phrase expresses satisfaction
in general and has various English equivalents.

11 *Le voici :* here it is = "the fact is as follows :

17 *j'ai dû :* see *devoir.*

22 *campagne :* the campaigns of 1812–1814, which brought on
the downfall of Napoleon I after the decisive battle of Leipzig, Oct. 16–
18, 1813. Observe that the young man entered the army at once, and
as a private ; for *soldat* has this meaning. He thereby proved his *peu*

mon peu de sympathie pour le gouvernement que vous
aimez . . . et cependant, je vous le jure, je n'ai jamais
conspiré . . . et je ne conspirerai jamais! parce que j'ai
horreur de la guerre civile, et que, quand un Français tire
5 sur un Français, c'est au cœur de la France elle-même
qu'il frappe! Il y a un mois pourtant, au moment où
venait d'éclater la conspiration du capitaine Ledoux,
j'entre un matin à Lyon; je vois rangé sur la place
Bellecour un peloton d'infanterie, et avant que j'aie
10 pu demander quelle exécution s'apprêtait . . . arrive une
voiture de place suivie de carabiniers à cheval; j'en
vois descendre, entre deux soldats, un vieillard en cheveux blancs, en grand uniforme, et je reconnais . . .
qui? . . . mon ancien général! Le brave comte Lam-
15 bert, qui a reçu vingt blessures au service de notre pays!
Je m'élance, croyant qu'on l'amenait sur cette place pour
le fusiller! non! c'était pis encore . . . pour le dégrader:
. . . Le dégrader! . . . Était-il coupable? je l'ignore
. . . mais quelque crime politique qu'ait commis un brave
20 soldat, on ne le dégrade pas, on le tue! . . . Aussi,
quand je vis un jeune commandant arracher à ce vieillard
sa décoration, je ne me connus plus moi-même, je m'élan-

de sympathie for Bourbon royalty, which was restored in consequence
of Napoleon's defeat.

7 conspiration: This conspiracy cost the lives of twenty-eight of
those implicated, who were condemned by a conseil de guerre and
immediately executed.

14 Lambert: not historical, though there was a general of that name.

19 Note the position of subject and verb after quelque — que.

22 décoration: i.e. the cross of the Legion of Honor, instituted by
Napoleon I.

çai vers mon ancien général, et, lui remettant la croix que
j'avais reçue de sa main, je m'écriai: Vive l'Empereur!

LA COMTESSE. Malheureux!

HENRI. Ce qui arriva, vous le devinez; saisi, arrêté
5 comme un chef de conspiration, je serais encore en prison, ou plutôt je n'y serais plus, si un des geôliers, gagné
par vous, ne m'avait donné les moyens de fuir, ici . . .
chez une royaliste, mon ennemie, ici, où j'ai le double
bonheur d'être sauvé, et d'être sauvé par vous. Voilà
10 mon crime!

LA COMTESSE. Dites votre gloire, Henri; j'étais bien
résolue ce matin à vous sauver, mais maintenant . . .
qu'ils viennent vous chercher auprès de moi!

SCÈNE VI

LES MÊMES, LÉONIE, *en habit de cheval.*

LÉONIE. Me voici, ma tante.   Suis-je bien?

15 LA COMTESSE, *l'ajustant.*   Très bien, chère enfant; ta
cravate un peu moins haute. . . . (*A Henri.*) Charles,
allez voir si mon frère est prêt! . . . (*Henri sort. A
Léonie, tout en l'ajustant.*) Qui t'a donné cette belle
rose?

1 *la croix:* cf. previous note (*décoration*).

13 Note the tone of defiance (cf. l. 14, p. 13; l. 1, p. 20).

14 *bien:* see *bien.*

18 *tout* before *en l'ajustant* emphasizes the simultaneousness of
the two actions: the adjusting and the speaking.   *Tout* is not absolutely required, but is used for emphasis.   Cf. l. 12, p. 12, *tout en
décachetant.*

Léonie. M. de Grignon!

La Comtesse. Je ne l'ai pas encore vu d'aujourd'hui, notre cher hôte.

Léonie. Il monte . . . je l'ai laissé au bas du perron,
5 admirant le cheval de mon oncle!

SCÈNE VII

Les Mêmes, De Grignon.

De Grignon, *au fond*. Quel bel animal! quel feu! quelle vigueur! qu'on doit être heureux de se sentir emporté sur cet ouragan vivant!

La Comtesse, *qui l'entend*. Le curieux, c'est qu'il le
10 croit!

De Grignon, *descendant la scène et apercevant la comtesse et Léonie qu'il salue*. Ah! mademoiselle! . . . Madame la comtesse! . . .

La Comtesse. Bonjour, mon hôte! . . . Ah! çà,
15 vous aurez donc toujours la manie de l'héroïsme! je vous entendais là, tout à l'heure, vous extasier sur le bonheur de s'élancer sur un cheval indompté. Je parie que vous regrettez de n'avoir pas monté Bucéphale.

<hr>

7 *qu'on doit être heureux:* see *que*. Observe this use of *que* and the position of *heureux* with which it is connected. Instead of *que* we find *comme* in l. 16, p. 51.

9 *Le curieux, etc.:* see *curieux* and cf. l. 24, p. 14. This remark throws light on de Grignon's character.

14 *Ah! çà:* see *ça*.

18 *Bucéphale:* the horse which threw every rider until it was sub-dued by Alexander the Great.

DE GRIGNON, *avec enthousiasme.* Vous dites vrai, madame! c'est si beau . . . c'est . . . si . . . oh! . . .

LA COMTESSE. Vous ne trouvez pas le second adjectif . . . je vais vous rendre le service de vous interrompre; 5 tenez, il y a là des journaux et des lettres!

DE GRIGNON. Pour moi?

LA COMTESSE. Oui, là . . . sur la table.

SCÈNE VIII

LES MÊMES, HENRI.

HENRI. M. de Kermadio est aux ordres de mademoiselle. . . .

10 LA COMTESSE, *à Léonie.* Je vais te mettre à cheval. . . . (*A de Grignon, qui va pour la suivre.*) Lisez votre lettre, lisez, je remonte à l'instant. Viens, Léonie. . . .
                    (*Elles sortent suivies par Henri.*)

SCÈNE IX

DE GRIGNON, *seul.   Il la suit des yeux.*

Quel est le mauvais génie qui m'a mis au cœur une 15 passion insensée pour cette femme? . . . une femme qui a été héroïque en Vendée, une femme qui adore le courage! Aussi, pour lui plaire, il n'est pas d'action intrépide que je ne rêve . . . pas de péril auquel je ne m'ex-

---

5 *tenez:* calls attention to what is about to be said.

13 Notice the difference in the prepositions after *suivre: suivies par Henri,* and *suit des yeux.* But cf. l. 16, p. 73, *suivi d'hommes.*

pose . . . en imagination ! Dès que je pense à elle, rien
ne m'effraie . . . je me crois un héros . . . moi ! un
maître des requêtes, qui par état n'y suis pas obligé ; et
quand je dis un héros . . . c'est que je le suis . . . en
5 théorie ! Par malheur, il n'en est pas tout à fait de même
dans la pratique. . . . C'est inconcevable ! c'est inouï !
il y a un mystère qui ne peut s'expliquer que par des rai-
sons de naissance ! C'est dans le sang ! Je tiens à la
fois de ma mère, qui était le courage en personne, et de
10 mon père, qui était la prudence même ! Les imbéciles me
diront à cela : Eh bien ! monsieur, restez toujours le fils
de votre père ; n'approchez pas du danger. . . . (Avec
colère.) Mais, est-ce que je le peux, monsieur ? est-ce
que ma mère me le permet, monsieur ? Est-ce que, s'il
15 pointe à l'horizon quelque occasion d'héroïsme, le maudit
démon maternel qui s'agite en moi ne précipite pas ma
langue à des paroles compromettantes ? Est-ce que ma
moitié héroïque ne s'offre pas, ne s'engage pas ? Comme
tout à l'heure, à la vue de ce beau cheval fougueux et
20 écumant que je brûlais d'enfourcher . . . parce qu'un
autre était dessus ; et si l'on m'avait dit ; montez-le ! . . .
alors, mon autre moitié, ma moitié paternelle, l'aurait emporté, et adieu ma réputation ! . . . Ah ! c'est affreux !
c'est affreux ! être brave . . . et nerveux ! et penser que,
25 pour comble de maux, me voilà amoureux fou d'une
femme dont la vue m'anime . . . m'exalte ! Elle me

8 *Je tiens de :* see *tenir.* Cf. l. 19, p. 14.

14 *s'il pointe :* il = "there," introductory ; *il* is the "grammatical,"
occasion the "logical," or real, subject of *pointe.*

fera faire quelque exploit, quelque sottise, j'en suis sûr.
Jusqu'à présent je m'en suis assez bien tiré. Je n'ai eu
à dépenser que des paroles . . . mais cela ne durera
peut-être pas . . . et alors . . . repoussé, méprisé par
5 elle. . . . (*Avec résolution.*) Il n'y a qu'un moyen d'en
sortir! c'est de l'épouser! Une fois marié, j'ai le droit
d'être prudent avec honneur! Que dis-je? le droit! c'est
un devoir . . . un père de famille se doit à sa femme et
à ses enfants. Un bonapartiste insulte le roi devant moi
10 . . . je ne peux pas le provoquer . . . je suis père de
famille! Qu'il arrive une inondation, un incendie, une
peste, je me sauve . . . je suis père de famille! Il faut
donc se hâter d'être père de famille le plus tôt possible!
. . . (*Se mettant à la table à gauche et écrivant.*) Et pour
15 cela, risquons ma déclaration bien chaude, bien brûlante
. . . comme je la sens. Plaçons-la ici . . . sous ce miroir; elle la lira . . . et espérons!

SCÈNE X

De Grignon, La Comtesse, *soutenant* Léonie, *et entrant avec elle par le fond.*

La Comtesse, *dans la coulisse.* Louis! Joseph!

De Grignon. Elle appelle. . . . (*Il va au fond au*

11 *Qu'il:* cf. previous note. In l. 9 *Que* might stand before *Un
bonapartiste*, denoting the imperative.

13 *je me sauve:* see *sauver.*

16 As there is no imperative of the first person singular the first
person plural is commonly employed where English makes use of
"let me," etc., which, of course, is not an imperative of the first person
either.

moment où la comtesse entre, et l'aide à soutenir Léonie
qu'ils placent tous les deux sur le canapé à droite.)

De Grignon. Qu'y a-t-il donc?

La Comtesse. Un accident; mais elle commence à
5 reprendre ses sens.

De Grignon. Elle n'est pas blessée?

La Comtesse. Non, grâce au ciel, mais je crains que
la secousse, l'émotion. . . . Sonnez donc, mon ami, je
vous prie. . . .

10   De Grignon. Que désirez-vous?

La Comtesse. Qu'on aille à l'instant à Saint-Andéol
chercher le médecin.

De Grignon. J'y vais moi-même et je le ramène.

La Comtesse. J'accepte; vous êtes bon!

15   De Grignon, *à part.* J'aime autant ne pas être là
quand elle lira mon billet. . . . (*Haut.*) Je pars et je
reviens. . . . (*Il sort.*)

SCÈNE XI

La Comtesse, Léonie, *assise.*

Léonie, *encore sans connaissance.* Ma tante! . . . ma
tante! . . . si vous saviez . . . je n'y puis croire encore.
20 . . . J'étais si en colère . . . c'est à dire, si ingrate! ce
pauvre jeune homme à qui je dois la vie!

La Comtesse. Qu'est-ce que cela signifie?

---

3 *donc:* determine what English expression fits this case of *donc.*
Cf. l. 3, p. 11.— 11 *Qu'on aille:* the imperative; *on = quelqu'un.*

22 *Qu'est-ce que:* compare this form with *est-ce que*; both are emphatic.

LÉONIE, *revenant à elle.* C'est une aventure si éton-
nante . . . ou plutôt . . . si heureuse ! Imaginez-vous,
ma tante, que Charles . . . (*Se reprenant.*) non, M.
Henri . . . non . . . je disais bien ! Charles . . . ce
5 pauvre Charles. . . .

LA COMTESSE, *vivement.* Tu sais tout ?

LÉONIE, *avec joie.* Eh ! oui, sans doute !

LA COMTESSE, *avec effroi.* O ciel !

LÉONIE, *vivement et se levant du canapé.* Je me tairai,
10 ma tante, je me tairai, je vous le jure. Je vous aiderai à
le protéger, à le défendre . . . j'y suis bien forcée maintenant . . . ne fût-ce que par reconnaissance.

LA COMTESSE, *avec impatience.* Mais tout cela ne m'ex-
plique pas . . .

15 LÉONIE, *avec joie.* C'est juste . . . il me semble que
tout le monde doit savoir . . . et il n'y a que moi . . .
c'est-à-dire nous deux. . . . Voilà donc que nous galo-
pions dans le parc avec mon oncle, quand tout à coup son
cheval prend peur, la ponette en fait autant et m'emporte
20 du côté du bois. Déjà ma jupe s'était accrochée à une
branche ; j'allais être arrachée de ma selle et traînée
peut-être sur la route, quand Charles . . . M. Charles,
se précipite à terre, se jette hardiment au-devant de
la ponette, l'arrête d'une main, me retient de l'autre, et
25 me dépose à moitié évanouie sur le gazon.

4 *je disais bien:* here *bien* asserts correctness, "What I said was
correct."

12 *ne fût-ce que:* see *être.* Instead of this form of the past subjunctive the form *ne serait-ce que* is more generally employed in
conversation.

La Comtesse. Brave garçon!

Léonie. Et malgré cela, j'étais d'une colère. . . .

La Comtesse. Tu lui en voulais de te sauver?

Léonie. Non pas de me sauver, mais de me sauver
5 avec si peu de respect! Imaginez-vous, ma tante, qu'il
me prenait les mains pour me les réchauffer . . . qu'il
me faisait respirer un flacon . . . je vous demande si
un domestique doit avoir un flacon . . . et qu'il répétait
sans cesse comme il aurait fait pour son égale: Pauvre
10 enfant! pauvre enfant! Je ne pouvais pas répondre,
parce que j'étais évanouie . . . mais j'étais très en colère, en dedans. Et lorsqu'en ouvrant les yeux, je le
trouvai à mes genoux . . . presque aussi pâle que moi,
et qu'il me tendit la main en me disant: Eh bien! chère
15 demoiselle, comment vous trouvez-vous? mon indignation fut telle que je répondis par un coup de cravache
dont je frappai la main qu'il osait me tendre . . . puis je
fondis en larmes . . . sans savoir pourquoi. . . .

La Comtesse, *avec un commencement d'inquiétude.* Eh
20 bien! après?

Léonie. Après? Jugez de ma surprise, de ma joie,
quand je le vis se relever en souriant . . . découvrir sa
tête avec une grâce charmante, et me dire après m'avoir
saluée: Que votre légitime orgueil ne s'alarme pas de ma

---

2 *j'étais d'une colère:* see *colère.* *Si grande* or *forte* is understood.

13 *je le trouvai:* for which *je l'ai trouvé* is a more common form;
but observe that in no case could the *imparfait* (*trouvais*) be substituted,
the act being an interruption, therefore momentary, and not continuous.

14 *qu'il:* for *lorsqu'il.* Cf. l. 19, p. 38.

témérité, mademoiselle; celui qui a osé tendre la main
à mademoiselle de Villegontier, ce n'est pas Charles,
le valet de chambre, c'est monsieur Henri de Flavigneul,
le proscrit.

5   LA COMTESSE. Ah! le malheureux! il se perdra!

LÉONIE. Se perdre, parce qu'il m'a confié son secret!

LA COMTESSE. Qui me dit que tu sauras le garder?

LÉONIE. Vous croyez mon cœur capable de la trahir! . . .

10   LA COMTESSE. Le trahir! Dieu me garde d'un tel
soupçon! . . . mais c'est ta bonté même, ce sont tes
craintes qui te trahiront.

LÉONIE, *avec élan.* Ah! ne redoutez rien . . . je serai
forte . . . il s'agit de lui!

15   LA COMTESSE, *vivement.* De lui!

LÉONIE, *avec abandon.* Pardonnez-moi! Je ne puis
vous cacher ce qui se passe dans mon âme. . . . Mais
pourquoi vous le cacher, à vous? Eh bien! oui, une
force, une joie ineffable remplissent mon cœur tout en-
20 tier. . . . J'étais si malheureuse depuis quinze jours,
je ne pouvais m'expliquer à moi-même ce que je ressen-
tais . . . ou plutôt je ne l'osais pas: c'était de la honte,
de la colère, je me sentais entraînée vers un abîme, et
cependant j'y tombais avec joie.

25   LA COMTESSE, *avec anxiété.* Que veux-tu dire?

14 *il s'agit:* see *agir.* There is an emphasis on *lui.*

20 *J'étais . . . depuis quinze jours.* Cf. l. 2, p. 10. She had been
(and was) unhappy up to and including the moment when this occurred. English requires the pluperfect "I had been," French and
other European languages the imperfect.

LÉONIE. Je comprends tout, maintenant. Si j'étais aussi indignée contre lui . . . et contre moi, ma tante, c'est que je l'aimais!

LA COMTESSE, *avec explosion.* Vous l'aimez!

5 LÉONIE. Qu'avez-vous donc?

LA COMTESSE, *froidement.* Rien! rien! Vous l'aimez!

LÉONIE. Vous semblez irritée contre moi, chère tante.

LA COMTESSE, *de même.* Irritée . . . moi . . . non!
10 . . . je ne suis pas irritée. . . . Pourquoi serais-je irritée?

LÉONIE. Je l'ignore! . . . peut-être . . . est-ce de ma confiance trop tardive. . . . Je vous aurais dit plus tôt mon secret si je l'avais su plus tôt!

15 LA COMTESSE. Qui vous reproche votre manque de confiance? . . . Laissez-moi . . . j'ai besoin d'être seule! . . .

LÉONIE, *avec douleur.* Oh! mais . . . vous m'en voulez! . . .

20 LA COMTESSE, *avec impatience.* Mais non, vous dis-je.

LÉONIE. Vous ne m'avez jamais parlé ainsi! vous ne me dites plus . . . *toi!*

LA COMTESSE, *avec émotion.* Tu pleures? . . . Pardon, chère enfant, pardon! Si je t'ai affligée, c'est que moi-
25 même . . . je souffrais . . . oh! cruellement! . . . je souffre encore. . . . Laisse-moi seule un moment, je t'en prie! . . . (*Elle regarde Léonie, puis l'embrasse vivement.*) Va-t'en! va-t'en! . . .

22 Cf. l. 15, p. 12.

LÉONIE, *en s'en allant.* A la bonne heure, au moins.
. . . (*Elle sort.*)

SCÈNE XII

LA COMTESSE, *seule.*

Elle l'aime! Pourquoi ne l'aimerait-elle pas? N'est-
elle pas jeune comme lui? riche et noble comme lui? . . .
5 Pourquoi donc souffré-je tant de cette pensée? Pourquoi,
pendant qu'elle me parlait . . . ressentais-je contre elle
un sentiment de colère . . . d'aversion, de . . . Non,
ce n'est pas possible! depuis quinze jours ne veillais-je
pas sur lui comme une amie . . . ne lui parlais-je pas
10 comme une mère? . . . ce matin, ne l'ai-je pas remercié
de ce qu'il m'appelait ma sœur? . . . Ah! malgré moi
le voile tombe! . . . ce langage maternel n'était qu'une
ruse de mon cœur pour se tromper lui-même . . . je ne
cherchais dans ces titres menteurs de sœur ou de mère
15 qu'un prétexte, que le droit de ne lui rien cacher de
ma tendresse. Ce n'est pas de l'intérêt . . . de l'amitié
. . . du dévouement . . . c'est de l'amour! . . . J'aime!

---

1 *A la bonne heure:* see *heure.* This phrase of many meanings
expresses here both satisfaction and relief. The adverbial *au moins*
helps to convey this meaning = "so far, at least, I am all right."

8 *veillais.* The imperfect is required because the act, though it
occurred in the definite past, was continuous and repeated. Cf. l. 20,
p. 35.

10 *remercié.* As *remercier* requires *de,* "for," *ce* must follow with a
relative clause, unless there is a noun object.

17 *du:* note the use of the partitive article when qualities, etc.
(interest, friendship, love, etc.) are not thought of as personifications
but as parts of the whole conception. In English we convey the same
meaning by omitting the article altogether.

. . . (*Avec effroi.*) J'aime ! . . . moi ! et ma rivale, c'est
l'enfant de mon cœur, c'est un ange de grâce, de bonté.
Ah ! tu n'as qu'une résolution à prendre ! renferme, renferme ta folle passion dans ton cœur comme une honte,
5 cache-la, étouffe-la. . . .   (*Après un moment de silence.*)
Je ne peux pas !   Depuis que ce feu couvert a éclaté à mes
propres yeux, depuis que je me suis avoué mon amour à
moi-même . . . il croît à chaque pensée, à chaque parole !
. . . je le sens qui m'envahit comme un flot qui monte !
10 . . . (*Avec résolution.*)   Eh bien ! pourquoi le combattre ?   Léonie aime Henri, c'est vrai . . . mais lui,
il ne l'aime pas encore . . . il aurait parlé, s'il l'aimait
. . . elle me l'aurait dit, s'il avait parlé. . . .   (*Avec
joie.*)   Il est libre ! eh bien ! qu'il choisisse ! . . .   Elle
15 est bien belle déjà . . . on dit que je le suis encore. . . .
Qu'il prononce ! . . .   (*Avec douleur.*)   Pauvre enfant !
. . . elle l'aime tant ! . . .   Ah !   Mais je l'aime mille
fois davantage !   Elle aime, elle, comme on aime à seize
ans, quand on a l'avenir devant soi et que le cœur est
20 assez riche pour guérir, se consoler, oublier et renaître !
. . . mais à trente ans notre amour est notre vie tout
entière. . . .   Allons ! il faut lutter avec elle ! luttons
. . . non pas de ruse ou de perfidie féminine . . . non !
mais de dévouement, d'affection, de charme. . . .   On

9 *qui m'envahit:* translate such relative clauses by the present
participle. — *un flot qui monte:* cf. the preceding, and *le voici qui vient*,
l. 9, p. 49.

19 *que = quand, que* taking the place of *quand, lorsque, parce que, si,*
which must not be repeated in a series of succeeding clauses. Cf. l. 14,
p. 34.

dit que j'ai de l'esprit, servons-nous-en. . . . Léonie a
ses seize ans, qu'elle se défende ! . . . et si je triomphe
aujourd'hui . . . ah ! je réponds de l'avenir . . . je ren-
drai Henri si heureux que son bonheur m'absoudra du
5 mien ! . . . (*Après un moment de silence.*) Mais tri-
ompherai-je ? sais-je seulement s'il m'est permis de lutter ? . . . qui me l'apprendra ? Quand on a un grand
nom, du crédit, de la fortune . . . ceux qui nous entourent nous disent-ils la vérité ? . . . (*Elle prend sur la*
10 *table à gauche un miroir.*) Ma main tremble en prenant
ce miroir . . . ce n'est pas le trouble de la coquetterie
. . . non ! c'est mon cœur qui fait trembler ma main . . .
je ne me trouverai jamais telle que je voudrais être . . . ne
regardons pas ! . . . (*Après un moment d'hésitation,*
15 *elle regarde, fait un sourire, et dit ensuite.*) Oui . . . mais
il en a trompé tant d'autres ! . . . (*Elle remet le miroir*
sur la table et aperçoit la lettre que de Grignon avait mise
dessous.) Quelle est cette lettre ? . . . A madame la
comtesse d'Autreval. . . . (*Regardant la signature.*)
20 De M. de Grignon ! Eh bien . . . lisons ! . . . (*Au*
moment où elle ouvre la lettre, de Grignon paraît au
fond.)

SCÈNE XIII

La Comtesse, De Grignon.

De Grignon, *au fond.* Elle tient ma lettre !

La Comtesse, *lisant.* Qu'ai-je lu ?

25 De Grignon, *au fond.* Elle ne semble pas trop irritée !

---

2 *qu'elle se défende:* an imperative.

La Comtesse, *continuant de lire*. Oui . . . oui . . . c'est bien le langage d'un amour vrai . . . l'accent de la passion . . . le cri du cœur!

De Grignon, *à part*. Elle se parle à elle-même. . . .

5 La Comtesse, *tenant toujours la lettre*. Il m'aime! . . . on peut donc m'aimer encore! . . . il demande ma main! . . . on peut donc songer à m'épouser encore!

De Grignon, *s'avançant*. Ma foi . . . je me risque! . . . (*Il fait un pas en se mettant à tousser.*)

10 La Comtesse, *se retournant et l'apercevant*. Est-ce vous qui avez écrit cette lettre?

De Grignon. Cette lettre . . . celle que tout à l'heure . . . (*A part.*) Ah! mon dieu!

La Comtesse, *vivement*. Répondez . . . est-ce vous?

15 De Grignon. Eh bien! oui, madame.

La Comtesse, *de même*. Et ce qu'elle contient est bien l'expression de votre pensée?

De Grignon. Certainement.

La Comtesse. Vous m'aimez! . . . vous me demandez 20 ma main?

De Grignon. Et pourquoi pas?

La Comtesse. Vous, à vingt-cinq ans!

De Grignon. Eh! qu'importe l'âge! tout ce que je sais, tout ce que je peux vous dire . . . c'est que vous êtes 25 jeune et belle . . . ce que je sais, c'est que je vous aime.

La Comtesse, *avec joie*. Vous m'aimez?

De Grignon. Et dussiez-vous ne pas me le pardonner . . . dussiez-vous m'en vouloir!

---

28 *dussiez-vous* = *si vous deviez* or *quand même vous devriez.*

LA COMTESSE, *de même.* Vous en vouloir! mon ami,
mon véritable ami . . . ainsi, c'est bien certain, vous
m'aimez? vous me trouvez belle? . . . Ah! jamais
paroles ne m'ont été si douces . . . et si vous saviez
5 . . . si je pouvais vous dire . . .

DE GRIGNON. Ah! je n'en demande pas tant . . .
l'émotion . . . le trouble où je vous vois suffiraient à
me faire perdre la raison. . . . (*On entend en dehors à
droite le bruit d'un orchestre.*)

10 LA COMTESSE. Qu'est-ce que cela?

DE GRIGNON. Ah! mon dieu! j'oubliais . . . une surprise . . . une fête . . . la vôtre.

LA COMTESSE. Ma fête! je n'y pensais plus.

DE GRIGNON. Mais nous y pensions, nous et votre
15 nièce . . . et là, dans le grand salon, vos amis, les habitants du village . . . tous vos gens . . .

LA COMTESSE. Mes gens!

DE GRIGNON. Bal champêtre et concert.

LA COMTESSE. Un bal! un concert. . . . (*A part.*)
20 Il sera là. . . . (*Haut.*) Oh! merci, mon ami, venez,
venez, nous danserons. . . .

DE GRIGNON. Oui, madame.

LA COMTESSE, *à part.* Il sera là . . . il nous entendra
. . . il nous jugera. . . . (*A de Grignon.*) Venez, mon
25 ami, je suis si heureuse.

DE GRIGNON. Et moi donc!

LA COMTESSE. Venez, venez! . . . (*Ils sortent par la
porte à droite.*)

26 *Et moi donc!* see *moi.*

ACTE DEUXIÈME

(Même décor)

SCÈNE I

De Grignon, *sortant de l'appartement à droite, puis* Montrichard, *entrant par le fond*

De Grignon. C'est étonnant! . . . depuis l'aveu qu'elle m'a fait . . . elle ne me regarde plus! . . . Et pourtant . . . quand je me rappelle son trouble de ce matin, sa physionomie . . . tout me dit que je suis aimé
5 . . . tout . . . excepté elle! . . . Ah! c'est qu'une lettre passionnée . . . des paroles brûlantes ne suffisent pas pour la connaissance de mon amour . . . il faudrait des preuves réelles . . . des actions. . . . (*Remontant le théâtre et voyant M. de Montrichard qui entre précédé*
10 *d'un maréchal des logis de dragons, auquel il parle bas.*) Quel est cet étranger?

Montrichard, *au dragon.* Que mes ordres soient exécutés de point en point! Rien de plus, rien de moins! vous entendez?

15 Le Dragon, *saluant et se retirant.* Oui, monsieur le préfet.

Montrichard, *s'avançant et saluant de Grignon.* Madame la comtesse d'Autreval, monsieur.

18 *monsieur (le préfet)*, like *madame (la comtesse)*, shows the polite and deferential form of addressing people by their title.

42

DE GRIGNON. Elle est au salon, environnée de tous ses amis, dont elle reçoit les bouquets. . . . C'est sa fête . . . mais dès qu'elle saura que monsieur le préfet du département. . . .

5 MONTRICHARD. Vous me connaissez, monsieur?

DE GRIGNON. Je viens d'entendre prononcer votre nom. . . . (*Faisant quelques pas vers le salon*) et je vais. . . .

MONTRICHARD. Ne vous dérangez pas, de grâce! rien 10 ne me presse! . . . Quand on est porteur de fâcheuses nouvelles. . . .

DE GRIGNON. Ah! mon dieu!

MONTRICHARD. La comtesse, que je connais depuis longtemps, a toujours été parfaite pour moi, et, dernière- 15 ment encore, le ministre ne m'a pas laissé ignorer qu'elle avait parlé en ma faveur.

DE GRIGNON. Elle est fort bien en cour! et je conçois qu'il vous soit pénible. . . .

MONTRICHARD. Pour la première visite que je lui 20 fais . . .

DE GRIGNON. De lui apporter une mauvaise nou- velle.

MONTRICHARD, *froidement.* Plusieurs, monsieur. . . .

DE GRIGNON, *effrayé.* Et lesquelles?

25 MONTRICHARD. Lesquelles? . . . mais d'abord une qui est assez grave, le feu vient de prendre à l'une des fermes de madame la comtesse.

DE GRIGNON. Vous en êtes sûr?

17 *fort bien en cour:* see *bien.*

MONTRICHARD. Nous l'avons aperçu de la grande route où nous passions, et comme je ne pouvais détacher aucun des gens de mon escorte . . . pour des motifs sérieux. . . .

5 DE GRIGNON. Ah !

MONTRICHARD. Oui, fort sérieux ! — j'ai dirigé sur la ferme tous les paysans que j'ai rencontrés sur mon chemin, ordonnant qu'on m'envoyât au plus tôt des nouvelles de l'incendie. . . . (*Il remonte le théâtre.*)

10 DE GRIGNON, *sur le devant du théâtre.* Un incendie ! . . . quelle belle occasion d'héroïsme ! . . . Si j'y allais ! . . . Quel effet sur la comtesse, quand elle demandera : Où donc est M. de Grignon ? et qu'on lui répondra : Il est au feu . . . pour vous . . . pour vous, comtesse ! 15 . . . (*A Montrichard.*) Monsieur, cette ferme est-elle loin d'ici ? . . .

MONTRICHARD. A une demi-lieue à peine, et si l'on pouvait y envoyer une pompe à incendie. . . .

DE GRIGNON, *avec chaleur.* Une pompe ? . . . j'y vais 20 moi-même. Il y en a une à la ville voisine, et je cours. . . .

MONTRICHARD. Très bien, monsieur, très bien ! . . . Mais attendez . . . on ne vous la confierait peut-être pas sans un ordre de moi, et si vous le permettez . . .

DE GRIGNON. Si je le permets ! (*Montrichard se met* 25 *à la table de gauche et cherche autour de lui ce qu'il faut*

11 *Si j'y allais :* a conditional clause answering to the English conditional. After *si*, in such a clause, neither the conditional nor the future tense is used, or at least only exceptionally. If *si* = "whether," the conditional (or future) is correct.

13 *que (qu')* = *quand.*

*pour écrire; ne le trouvant pas, il tire un carnet de sa
poche et trace quelques lignes au crayon.*)

DE GRIGNON, *se promenant pendant ce temps avec agitation.* Est-il un plus beau rôle que celui de sauveur dans
5 un incendie ! . . . marcher sur des poutres enflammées
. . . disparaître au milieu des tourbillons de fumée et de
feu . . . au moment le plus terrible . . . quand la toiture
va s'écrouler. . . . Voir tout à coup à une fenêtre un
vieillard, une femme qui tend vers vous les bras, en s'écri-
10 ant : Sauvez-moi ! . . . Alors, s'élancer au milieu des
cris de la foule : "Vous allez vous perdre !" . . . N'importe ! . . . "C'est une mort certaine !" (*S'interrompant et s'adressant à Montrichard.*) Le fermier a-t-il des
enfants ?

15 MONTRICHARD, *écrivant toujours.* Trois . . . je
crois. . . .

DE GRIGNON, *avec joie.* Trois enfants . . . quel bonheur ! . . . (*A Montrichard.*) En bas âge ? . . .

MONTRICHARD, *écrivant toujours.* Oui. . . .

20 DE GRIGNON, *à part.* Tant mieux ! c'est plus facile à
sauver ! . . . Puis, rendre trois enfants à leur mère ! . . .
Et comme la comtesse me recevra, quand je reviendrai
escorté par tous les hommes de la ferme . . . porté sur
un brancard de feuillages . . . les vêtements brûlés . . .
25 le visage noirci. . . . Ah ! ma tête s'exalte. . . . Donnez . . . donnez, monsieur ! . . . J'y vais . . . j'y cours !

---

15 *écrivant toujours:* see *toujours.*

20 *c'est: ce* is here comprehensive and neuter = "the whole lot"
(*i.e.* of little children).

MONTRICHARD, *lui remettant le billet.* A merveille ! . . .
(*A part.*)   Quel enthousiasme dans ce jeune homme ! . . .
(*A de Grignon, qui fait un pas pour s'éloigner.*)   Veuillez
en même temps vous informer de ce pauvre garçon de
5 ferme que nous avons rencontré sur la route, et qu'on
rapportait blessé du lieu de l'incendie.

DE GRIGNON, *commençant à avoir peur.* Ah ! . . . ah !
. . . blessé ! . . . légèrement, sans doute. . . .

MONTRICHARD. Hélas ! non, la peau lui tombait du
10 visage comme s'il avait été brûlé vif.

DE GRIGNON. Ah ! . . . la peau . . . lui . . . tombait . . .

MONTRICHARD. Le plus dangereux . . . c'est une
poutre qui lui a enfoncé trois côtes. . . .

15 DE GRIGNON. Enfoncé trois côtes ! . . . voyez-vous
cela ! . . .   En voulant porter secours ? . . .

MONTRICHARD. Oui, monsieur. Mais partez, partez ! . . .

DE GRIGNON, *immobile et restant sur place.* Oui . . .
20 monsieur . . . le temps de faire seller un cheval . . .
par mon domestique . . . qui en même temps pourrait
bien y aller lui-même . . . car enfin . . . cela le regarde
. . . dès qu'il s'agit de porter une lettre . . . il s'en ac-
quittera mieux que moi . . . il ira plus vite. . . .

25 UN BRIGADIER DE GENDARMERIE, *entre dans ce moment,
et s'adressant à M. de Montrichard.* Monsieur le préfet,
un exprès arrive, annonçant que le feu est éteint !

---

13 *Le plus dangereux, etc.:* here a "neuter." Cf. *le curieux,* l. 24,
p. 14.

Montrichard. Tant mieux !

De Grignon, *vivement.* Éteint ! . . . Quelle fatalité !
. . . au moment où j'y allais ! (*A Montrichard.*) Car
j'y allais, vous l'avez vu, je partais. . . .

5 Le Brigadier, *bas à Montrichard.* Le sous-lieutenant
a placé à l'extérieur tous nos hommes, comme vous l'aviez
indiqué . . . mais il a de nouveaux renseignements dont
il voudrait faire part à monsieur le préfet.

Montrichard, *à part.* Très bien. . . . Je tiens à
10 les connaître et à les vérifier avant de voir la comtesse.
. . . (*Haut, à de Grignon.*) Veuillez, monsieur, ne pas
parler de mon arrivée à madame d'Autreval, car un
devoir imprévu m'oblige à vous quitter ; mais je reviens à
l'instant. . . . (*Il sort.*)

15 De Grignon, *se promenant avec agitation.* Malédiction ! . . . Il n'y eut jamais une occasion pareille !
. . . un incendie que j'aurais trouvé éteint ! de l'héroïsme
et pas de danger ! Ah ! si jamais j'en rencontre une
autre ! . . . Voici la comtesse ! . . . Toujours rêveuse,
20 comme ce matin. . . . Mais est-ce à moi qu'elle pense ?
. . . (*S'approchant d'elle.*) Madame. . . .

SCÈNE II

De Grignon, La Comtesse, *sortant de l'appartement à
droite.*

La Comtesse, *distraite.* Ah ! c'est vous, mon cher de
Grignon ! . . .

9 *Je tiens à :* see *tenir ;* cf. l. 8, p. 30.

De Grignon, *à part.* Elle a dit mon cher de Grignon! . . .

La Comtesse, *qui a l'air préoccupé et regarde dans la salle de bal.* Eh! pourquoi donc n'êtes-vous pas dans la salle de bal? Un bal champêtre au milieu du salon: le château et la ferme . . . grands seigneurs et femmes de chambre.

De Grignon. J'étais ici . . . m'occupant de vos intérêts. . . . Une de vos fermes où le feu avait pris . . . mais il est éteint par malheur pour moi. . . .

La Comtesse, *distraite.* Comment cela?

De Grignon, *avec chaleur.* J'aurais été si heureux de m'exposer pour vous! . . . car, sachez-le bien, je vous aime plus que moi-même . . . plus que ma vie.

La Comtesse, *riant, mais rêveuse.* C'est beaucoup!

De Grignon. Vous en doutez?

La Comtesse. Vous m'aimez bien, je le crois; mais plus que la vie . . . non! . . . Vous n'assistiez seulement pas à notre concert.

De Grignon, *avec enthousiasme.* J'y étais, madame! j'ai entendu votre admirable duo avec votre nièce. . . . Quel enthousiasme général! . . . vos gens eux-mêmes, qui écoutaient de l'antichambre . . . étaient ravis . . . transportés . . . un surtout . . . votre nouveau domestique. . . .

La Comtesse, *vivement.* Charles! . . .

De Grignon. Oui, Charles . . . il criait brava encore plus fort que moi. . . .

---

17 *assistiez:* not "assisted;" see *assister.*

25 The fact that Charles recognized the distinction between *brava* (feminine) and *bravo* (masculine) is another act of self-betrayal.

La Comtesse, *avec affectation.* Ah! ce cher de Grignon, que j'accusais . . . que je méconnaissais! . . .

De Grignon, *à part.* Je l'ai ramenée enfin au même
point que ce matin.

5 La Comtesse. Ainsi, vous et Charles, vous m'applau-
dissiez? . . .

De Grignon, *apercevant Henri qui entre par le fond.*
Mais certainement. . . . Et tenez, il pourrait vous le
dire lui-même, car le voici qui vient de ce côté. . . .

10 La Comtesse, *à part.* Lui! (*Vivement, à de Grignon.*)
Mon ami . . . j'ai eu des torts envers vous . . . je veux
les réparer. . . . Allez m'attendre dans le salon, et
nous ouvrirons le bal ensemble. . . .

De Grignon, *avec ivresse.* J'y cours . . . madame . . .
15 j'y cours! . . . (*S'éloignant par la droite.*) Cela va bien!

SCÈNE III

La Comtesse, *puis* Henri.

Henri. C'est vous, enfin, comtesse; je vous cherchais
de tous côtés. . . .

La Comtesse, *émue.* Et pourquoi donc, Henri?

Henri, *avec exaltation.* Pourquoi? pour vous dire tout
20 ce que j'ai dans l'âme! le dire si je le puis . . . car comment exprimer ce que j'ai ressenti . . . puisque personne

9 *le voici qui vient, qui vient* = present participle, in English.
Cf. note 9, p. 38.

11 *j'ai eu des torts :* see *tort.*

12 *attendre :* not "attend."

n'a jamais vu ce que je viens de voir . . . n'a jamais
entendre ce que je viens d'entendre ! . . .

La Comtesse, *souriant, mais émue.* Quel enthousiasme ! et qui donc a pu le causer ?

5 Henri. Qui ? vous et elle ! . . .

La Comtesse. Comment !

Henri. Elle et vous ! . . . vous deux, que je ne veux
plus séparer dans ma pensée ; vous deux, qui venez de
m'apparaître unies, confondues comme deux sœurs !

10 La Comtesse, *riant.* Ou comme deux roses sur la
même tige . . . ou comme deux étoiles dans la même
constellation. . . . Mais cependant avouez-le, la rose
cadette était la plus belle !

Henri. Comment vous le dire, puisque je ne le sais
15 pas moi-même ? Aucune n'était la plus belle . . . car
elles s'embellissaient l'une l'autre, car le front pur et
angélique de la plus jeune faisait ressortir le front poétique et brillant de l'aînée ! . . . Vous souriez . . . que
serait-ce donc . . . si je vous racontais mes impressions
20 pendant le duo que vous avez chanté ensemble. . . .

La Comtesse, *gaiement.* Racontez . . . racontez . . .
je suis curieuse de voir comment vous sortirez de cet
embarras. . . .

Henri, *gaiement.* Je n'en sortirai pas . . . et mon
25 bonheur est dans cet embarras même. . . .

La Comtesse. C'est fort original !

18 *Vous souriez . . . donc = si cela vous fait sourire, que serait-ce
donc, etc. = que feriez-vous ?* Observe the expletive character of *donc.*
26 *C'est fort original:* see *original,* cf. l. 24, p. 60.

HENRI. Grâce à ma bienheureuse livrée, j'étais mêlé à vos fermiers et à vos gens. . . . Eh bien . . . à peine vos premières notes entendues, car c'était vous qui commenciez, à peine votre belle voix touchante eut-elle at-5 taqué ce cantabile admirable, que des larmes coulèrent de tous les yeux. . . .

LA COMTESSE. Prenez garde ! . . . vous allez être infidèle à la seconde étoile ! . . .

HENRI. Vos railleries ne m'arrêteront pas. . . . Ces in-10 telligences incultes . . . ces oreilles grossières devenaient fines et délicates en vous écoutant . . . elles ne se rendaient compte de rien, et cependant elles comprenaient tout. . . .

LA COMTESSE. Et Léonie ? . . .

HENRI. Elle parut à son tour . . . et je vous l'avoue, 15 quand elle commença, une sorte de pitié me saisit pour elle. . . . Pauvre enfant ! . . . me dis-je . . . comme elle va paraître gauche et inexpérimentée ! . . .

LA COMTESSE, avec plus de vivacité. Eh bien ? . . .

HENRI. Eh bien ! j'avais raison ! . . . Son inexpé-20 rience se trahissait dans chaque note . . . mais je ne sais comment cette inexpérience avait un charme que je ne puis rendre !

LA COMTESSE. Ah !

HENRI. On ne pouvait s'empêcher de sourire en enten-25 dant cette voix enfantine après la vôtre . . et cependant, ce contraste même lui prêtait quelque chose de naïf . . . de frais.

LA COMTESSE. Prenez garde ! . . . voici la première étoile qui pâlit à son tour. . . .

2 à peine . . . que: (in l. 5) see voc.   16 comme = que, cf. l. 7, p. 28.

HENRI, *avec chaleur.* Non! . . . non! . . . car les voici toutes deux réunies! car l'ensemble du duo commence, car cette voix émouvante et passionnée se mêle à son chant timide et pur . . . Oh! alors . . . alors . . . il
5 sortit de ce mélange je ne sais quelle impression qui tenait de l'enchantement. Ce n'étaient plus seulement vos deux voix qui se confondaient, c'étaient vos deux personnes . . . vous ne formiez plus qu'un seul être! . . . charmant . . . complet . . . représentant à la fois la
10 jeune fille et la femme, tout semblable enfin à un rameau de cet arbre fortuné qui croît sous le ciel de Naples, et porte sur une même branche et des fleurs et des fruits!

LA COMTESSE, *à part.* J'espère!

HENRI, *poussant un cri.* Ah! mon dieu!

15 LA COMTESSE. Qu'avez-vous?

HENRI. Une contredanse que j'ai promise.

LA COMTESSE. A qui?

HENRI. A Catherine, votre fermière, vis-à-vis mademoiselle Léonie, votre nièce, contredanse que j'oubliais
20 près de vous.

LA COMTESSE, *avec joie.* Est-il possible!

HENRI. Heureusement l'orchestre n'a pas encore donné le signal, et je cours . . .

LA COMTESSE. Oui, mon ami . . . il ne faut pas faire
25 attendre . . . madame Catherine la fermière. . . . Allez! . . . allez! . . . (*Henri sort par la porte de droite,*

---

4 *il = there,* as in l. 14, p. 30.

12 *une même branche:* see *même.*

24 *faire attendre:* she was on the point of saying Léonie.

après avoir baisé la main de la comtesse qui le suit des yeux.)

SCÈNE IV

La Comtesse, Léonie.

Léonie, *entrant doucement par la porte du fond, et s'approchant de la comtesse.* Ma tante ! . . .

5 La Comtesse. Toi ! Je te croyais invitée pour cette contredanse.

Léonie. Oui.

La Comtesse. Eh bien ! tu n'y vas pas ?

Léonie. C'est qu'auparavant j'aurais un conseil à 10 vous demander.

La Comtesse. Comment ?

Léonie. Je vais vous dire . . . Pendant que je chantais . . . j'ai vu des larmes dans ses yeux . . . à lui, et c'est déjà un bon commencement . . . Cela prouve 15 que je ne lui déplais pas . . . n'est-ce pas, ma tante ?

La Comtesse. Sans doute. . . .

Léonie. Mais c'est qu'il m'a priée de lui faire vis-à-vis, et j'ai une grande peur que ma danse ne vienne détruire le bon effet de mon chant . . . j'ai envie de 20 ne pas danser.

La Comtesse. Y penses-tu ?

Léonie. J'ai tant de défauts en dansant. . . . Hier encore, vous me le disiez vous-même . . . trop de raideur dans les bras . . . les épaules pas assez effacées. . . .

13 *à lui :* explaining *ses,* and emphasizing the person, a common use of the "disjunctive" personal pronoun.

La Comtesse, *avec franchise.* Et malgré cela tu étais charmante.

Léonie, *vivement.* Vraiment? . . .

La Comtesse, *s'oubliant.* Que trop!

5   Léonie. Ah! tant mieux! . . .   (*Avec contentement.*) Je vais danser, ma tante, je vais danser . . .   (*Gaiement.*) et puis je tâcherai de me corriger . . . et la première fois que je danserai avec lui . . . ce qui ne tardera pas, je l'espère. . . .   (*S'arrêtant.*)

10   La Comtesse. Eh bien! . . . qui te retient? . . .

Léonie. Un autre conseil que j'aurais encore à vous demander . . . un conseil . . . pour lui plaire. . . . (*Elle regarde autour d'elle avec inquiétude.*)   Nous avons le temps encore. . . .

15   La Comtesse, *à part.* Moi, lui apprendre? . . .   Eh bien! oui! Si Henri me choisit après cela . . . c'est bien moi qu'il aimera.

Léonie, *à demi-voix.* C'est pour ma coiffure. . . .   Si je plaçais, comme vous, quelque ornement dans mes 20 cheveux . . . une fleur . . . ou plutôt . . .   (*Montrant un bracelet.*) ce bracelet de perles.

La Comtesse, *vivement.* Enfant! qui ne sait pas que la plus belle couronne de la jeunesse, c'est la jeunesse elle-même, et qu'en voulant parer un front de seize ans, 25 on le dépare. . . .

4 *Que trop:* there being no verb *ne* is omitted. See *ne.* Add 'so' in translating.

10 *qui te retient?* This *qui* is in common use, though *que* is grammatically correct; *qui* is probably due to an abbreviation of the phrase *Qu'est-ce qui . . .?*

LÉONIE. Eh bien . . . je ne mettrai rien. . . .   Merci,
ma tante . . . adieu, ma tante ! . . .   (*Elle fait un pas
pour s'éloigner.*) Ah ! j'oubliais. . . .   S'il me parle en
dansant . . . que lui dirai-je ? . . . j'ai peur de rester
5 court, et de lui paraître sotte par mon silence. . . .   Ah !
ma tante, conseillez-moi ; donnez-moi un sujet de conversation. . . .

LA COMTESSE. Moi !

LÉONIE. Vous avez tant d'esprit, et votre esprit lui
10 plaît tant !

LA COMTESSE, *vivement*. Il te l'a dit ?

LÉONIE. Pendant plus d'un quart d'heure ; ainsi il me
semble que des paroles inspirées par vous garderaient
quelque chose de votre grâce à ses yeux. . . .

15 LA COMTESSE, *à part*. Quelle singulière pensée lui
vient là ? . . .

LÉONIE, *vivement*. J'y suis ! oui . . . oui . . . voilà
mon sujet ! . . . je suis certaine de lui plaire ! . . . je par-
lerai. . . .

20 LA COMTESSE. De quoi ? . . .

LÉONIE. De vous ! . . .   Sur ce chapitre-là, je réponds de mon éloquence ! . . .

LA COMTESSE, *avec effusion*. Ah ! bonne et tendre
nature . . . je veux. . . .

25 LÉONIE. J'entends la voix de M. Henri . . .

LA COMTESSE. Henri ! . . .   (*A part.*) Quand il est
là je ne vois plus que lui !

---

12 *plus d'un:* see *plus*.   17 *J'y suis:* see *être*.
27 *je ne vois plus que lui:* supply *personne* before *que*.

LÉONIE. Il m'attend; il me semble qu'il m'appelle.
. . . Adieu, ma tante . . . adieu! . . . (*Elle sort par
la droite.*)

SCÈNE V

LA COMTESSE, *seule, regardant dans la salle du bal.*

Elle le rejoint . . . la contredanse commence . . . il
5 est vis-à-vis d'elle . . . comme il la regarde! . . .   Il ou-
blie que c'est à lui de danser. — Ils traversent . . . il lui
donne la main. . . .   Mais que vois-je? . . . elle pâlit
. . . la consternation se peint sur son visage!   Que dis-je?
sur tous les visages!   Henri s'élance dans la cour, et
10 Léonie revient éperdue. . . .

SCÈNE VI

LA COMTESSE, LÉONIE, *rentrant.*

LA COMTESSE. Qu'as-tu? au nom du ciel, qu'as-tu?

LÉONIE, *éperdue.* Des soldats . . . des dragons . . .

LA COMTESSE. Des soldats!

LÉONIE. Ils entourent le château, et des gendarmes
15 viennent d'entrer dans la cour.

LA COMTESSE. Ciel!

LÉONIE. Ils viennent l'arrêter!

LA COMTESSE. C'est impossible! venir l'arrêter chez
moi, comtesse d'Autreval! . . . c'est impossible, te dis-je.
20 Du calme! du calme!

15 *viennent d'entrer*, 17 *viennent l'arrêter*. Observe the difference
between *venir de* and *venir*, followed by an infinitive without *de*.

Léonie. Du calme! . . . vous pouvez en avoir, vous, ma tante . . . vous ne l'aimez pas!

La Comtesse. Tu crois! (*A part.*) Oh! s'il est en péril, il verra bien laquelle de nous deux l'aime le plus.
5 . . . (*Apercevant Henri qui entre et courant à lui.*)

SCÈNE VII

Les Mêmes, Henri, *entrant par le fond.*

La Comtesse, *l'apercevant.* Eh bien?

Henri, *gaiement.* Eh bien! . . . ce sont effectivement des dragons qui me cherchent, de vrais dragons.

La Comtesse. Qui vous l'a appris?

10 Henri. L'officier lui-même, que j'ai interrogé adroitement.

Léonie. Comment! avez-vous osé? . .

Henri, *gaiement.* Il me semble que cela m'intéresse assez pour que je m'en informe. . . .

15 La Comtesse. Mais enfin, que vous a-t-il dit?

Henri. Qu'il venait pour arrêter M. Henri de Flavigneul. . . . C'est assez clair, ce me semble.

Léonie. Perdu!

Henri. Est-ce que le malheur peut m'atteindre entre
20 vous deux? . . .

La Comtesse. Il dit vrai; à nous deux de le sauver!

Henri. Permettez! à nous trois . . . car je demande aussi à en être. Voyons . . . cherchons quelque bon déguisement, bien original . . .

21 *à nous deux:* see *deux.*   23 *à en être:* see *en.*

LA COMTESSE. Toujours du roman!...

HENRI. En connaissez-vous un plus charmant?...
(*A la comtesse.*) Ne me grondez pas; je me mets sous
vos ordres.

5 LA COMTESSE. Sachons d'abord quels sont nos en-
nemis. ...

HENRI. Oui, mon général. ...

LA COMTESSE. Comment se nomme l'officier des dragons?

10 HENRI. Je l'ignore, mon général, mais il est accom-
pagné du nouveau préfet, le terrible baron de Montrichard. ...

LÉONIE, *éperdue.* Terrible!...oh! je meurs d'épouvante!

15 LA COMTESSE, *passant près d'elle.* Mais ne pleure
donc pas ainsi, malheureuse enfant!

LÉONIE. Je ne peux m'en défendre!

LA COMTESSE. Eh! crois-tu donc que la frayeur ne
m'oppresse pas comme toi? mais je pense à lui, et ma
20 douleur même me donne du courage. ...

HENRI, *regardant la comtesse qui remonte vers le fond.*
Qu'elle est belle!

LÉONIE, *essuyant ses yeux, mais pleurant toujours.* Oui,
ma tante ... oui!... je vais essayer. ...

25 HENRI, *regardant Léonie.* Qu'elle est touchante!...
Ah! mon danger, je te bénis!... (*A la comtesse.*)
Fâchez-vous ... accusez-moi ... je dirai toujours ...
ô mon danger, je te bénis!... Sans lui, vous verrais-je

---

1 *Toujours du roman:* see *roman.*

toutes deux à mes côtés, me plaignant, me défendant
. . . Ah! vienne la sentence elle-même . . . je ne la
regretterai pas . . . puisque, grâce à elle, je puis vous inspirer . . . (*A Léonie.*) à vous, tant de terreur . . . (*A
la comtesse.*) à vous, tant de courage!

LA COMTESSE. Vous êtes insupportable avec vos madrigaux . . . pensons au baron . . . S'il ose venir ici,
c'est qu'il sait tout . . . c'est qu'on nous a trahis . . .

HENRI, *avec insouciance.* Eh! qui donc? . . . est-ce
que ma tête est mise à prix? est-ce que ma capture vaut
une trahison?

LA COMTESSE. Il y a des gens qui trahissent pour
rien.

HENRI, *souriant.* Il y a donc encore du désintéressement! . . .

LA COMTESSE. Taisez-vous! on vient.

SCÈNE VIII

LES MÊMES, UN DOMESTIQUE.

LE DOMESTIQUE. M. le baron de Montrichard, qui
s'est déjà présenté chez madame la comtesse, fait demander si elle veut bien lui faire l'honneur de le recevoir?

LÉONIE. Ciel!

---

2 *vienne la sentence:* a more energetic imperative than *que la
sentence vienne.*

16 *on* = *quelqu'un.*

LA COMTESSE. Certainement, avec plaisir. . . . (*Le domestique sort.*) Le baron ! . . . et rien de décidé encore !

LÉONIE, *à Henri.* Fuyez, monsieur, fuyez.

5 LA COMTESSE. Au contraire ! . . . qu'il reste !

HENRI. Vous avez une idée ?

LA COMTESSE. Non, pas encore ! mais il faut que vous restiez ! que M. de Montrichard vous voie . . . vous voie comme domestique. On soupçonne plus
10 difficilement ceux qu'on a vus d'abord sans les soupçonner. . . .

HENRI. Comme c'est vrai !

LÉONIE. Que vous êtes heureuse, ma tante, d'avoir tant de présence d'esprit ! . . . comment faites-vous donc ?

15 LA COMTESSE, *avec force.* Je meurs d'angoisse, ma fille ! Allons, éloigne-toi . . . il faut que je sois seule avec le baron. . . .

HENRI. Seule ? . . . oh ! non pas ! . . . je veux savoir ce que vous lui direz. . . .

20 LA COMTESSE. Vous . . . bien entendu. . . . (*A Léonie.*) Va ! . . . (*Léonie sort.*)

LE DOMESTIQUE, *annonçant.* M. le baron de Montrichard !

HENRI, *à part.* C'est original !

---

20 *bien entendu :* see *entendre.*
24 *C'est original :* see *original,* and cf. l. 26, p. 50.

SCÈNE IX

La Comtesse, Henri, *se tenant au fond à l'écart*, Mont-
RICHARD.

La Comtesse, *allant vivement à Montrichard*. Ah ! . . .
Monsieur le baron ! . . . que je suis heureuse de vous
voir ! . . .

Montrichard. Je venais d'abord, madame, vous
5 adresser mes remerciements. . . .

La Comtesse. Pour votre préfecture ? eh bien ! je les
mérite : vous aviez un adversaire redoutable . . . mais
j'ai tant cabalé . . . tant intrigué . . . car vous m'avez
fait faire des choses dont je rougis . . . que j'ai fini par
10 l'emporter . . .

Montrichard. Que de grâces à vous rendre, madame ! . . . Et qui donc a pu me valoir un si honorable
patronage ?

La Comtesse. Votre mérite, d'abord ! oh ! je vous
15 connais de plus longue date que vous ne le croyez . . .
nous avons fait la guerre l'un contre l'autre en Vendée. . . .

Montrichard. Et vous m'avez protégé, quoique ennemi ?

20 La Comtesse. Mieux encore . . . à titre d'ennemi.
. . . Je vous conterai cela un de ces jours . . . car vous
me restez. . . . Charles. . . . (*Henri ne répond pas.*)

11 *Que de* = *combien de.*   20 *à titre :* see *titre.*
21 *vous me restez* = *vous allez rester ici.*

Charles . . . délivrez monsieur le baron de son chapeau
. . . (*Mouvement du baron.*) oh! je le veux! . . . (*A
Henri.*) Charles . . . allez chercher des rafraîchissements pour monsieur le baron . . . (*Henri sort en
riant.*)

MONTRICHARD. Vous me comblez . . .

LA COMTESSE. Oui . . . je veux vous rendre la reconnaissance très difficile !

MONTRICHARD. Vraiment, madame! . . . eh bien!
jugez de ma joie, je crois que je viens de trouver le
moyen de m'acquitter vis-à-vis de vous !

LA COMTESSE. Vous commencez déjà . . . (*Mouvement de surprise du baron.*) en me donnant le plaisir de
vous recevoir . . .

MONTRICHARD. Je ferai mieux encore . . . je viens
vous offrir à vous, madame, qui êtes si dévouée à la
bonne cause, l'occasion de rendre un signalé service à Sa
Majesté !

LA COMTESSE. Donnez-moi la main, baron; voilà le
mot d'un vrai royaliste ! et ce service, c'est . . .

MONTRICHARD. De faire arrêter le chef de la grande
conspiration bonapartiste . . .

LA COMTESSE. Bravo! . . . Ce chef est donc un
homme important . . . connu . . .

MONTRICHARD. Connu? . . . oui! du moins de vous,
à ce que je crois, madame la comtesse . . .

LA COMTESSE, *riant*. De moi! . . . je connais un conspirateur! . . . Ah! le nom de ce traître, qui m'a trom-
pée? . . .

MONTRICHARD. M. Henri de Flavigneul! . . .

LA COMTESSE, *avec bonhomie.* M. de Flavigneul!
. . . ce tout jeune homme qui a l'air si doux . . . oh!
je n'aurais jamais cru cela de lui! . . . je l'ai vu en effet
5 quelquefois chez sa mère . . . mais c'en est fait! . . .
(*Riant.*) Je dis comme le farouche Horace: Il est
bonapartiste, je ne le connais plus! Je crois que
je fais le vers un peu long, mais Corneille me le
pardonnera. . . . Ah! çà, mais où est-il ce M. de
10 Flavigneul?

MONTRICHARD. Il se cache.

LA COMTESSE. Il se cache!

MONTRICHARD. Dans un château . . .

LA COMTESSE. Voisin?

15 MONTRICHARD. Très voisin . . .

LA COMTESSE. Où vous allez le surprendre . . .

---

5 *c'en est fait:* see *faire.*

6 In his tragedy "Les Horaces," Corneille makes the fierce old Horace say to his son-in-law: "*Albe vous a nommé — je ne vous connais
plus.*" This is here parodied, but the verse is too long by one syllable,
the *e* in *bonapartiste,* which, though not pronounced, is yet counted as
a full syllable in verse, increasing the regular twelve syllables to thirteen.
According to the story an agreement was entered into by the rival cities
Rome and Alba, that the question which was to rule the other should
be decided by a combat between six young men, three appointed by
Alba and three by Rome. The Alban champions are the Curiatii,
while the three Romans, sons of old Horace, appear as the Horatii.

Corneille (Pierre), 1606–1684, surnamed *le grand,* was born in
Rouen. In his tragedies verses of high-flown sentiment abound, not
rarely degenerating into bombast. His specialty was the ultra-heroic.
"Le Cid" is his most popular drama.

9 *Ah! çà:* see *çà.* Cf. l. 14, p. 28.

MONTRICHARD. Voilà le difficile! . . . et il me faudrait votre aide pour cela, madame . . .

LA COMTESSE. Mon aide! . . .

MONTRICHARD. Oui! Imaginez-vous que ce château appartient à une femme du plus haut rang, du plus pur royalisme . . . une femme d'esprit, de cœur, et de plus, ma bienfaitrice. . . .

LA COMTESSE, *ironiquement*. Comme moi? . . .

MONTRICHARD. Précisément . . . vous concevez mon embarras . . . pour lui dire d'abord, que je la soupçonne, puis, que je viens faire chez elle une invasion domiciliaire . . . et, ma foi, madame, je vous l'avouerai . . . j'ai compté sur vous pour la prévenir.

LA COMTESSE, *éclatant de rire*. Ah! la bonne folie! . . . Ainsi, vous croyez que moi! . . . je recèle un conspirateur. . . .

MONTRICHARD. Hélas! . . . je ne le crois pas; j'en suis sûr!

LA COMTESSE. Et c'est pour cela que vous avez amené tout cet attirail de dragons? que vous avez déployé ce luxe de gendarmerie?

MONTRICHARD. Mon dieu, oui! et je ne m'éloignerai qu'après avoir arrêté l'ennemi du roi . . . il faut bien que je vous prouve ma reconnaissance, comtesse. . . .

LA COMTESSE, *changeant de ton*. Eh bien . . . moi, monsieur le baron, je vous prouverai comment une femme offensée se venge!

MONTRICHARD. Vous venger. . . .

LA COMTESSE. D'un procédé inqualifiable . . . d'une

sanglante injure pour une fervente royaliste comme moi.
. . . (*Allant au canapé.*) Veuillez-vous asseoir, baron
. . . asseyez-vous . . . et écoutez-moi ! . . .

HENRI, *se rapprochant pour écouter, et à part.* Qu'est-ce
qu'elle va lui dire ?

LA COMTESSE, *à Henri.* Qu'est-ce que vous faites là ?
. . . vous écoutez, je crois . . . achevez donc votre service ! . . . (*A Montrichard.*) Vous rappelez-vous, monsieur le baron, qu'il y a, hélas ! . . . dix-huit ans, un
jeune magistrat plein de talent et de zèle fut envoyé au
château de Kermadio, pour y arrêter trois chefs vendéens. . . .

MONTRICHARD. Si je me le rappelle, madame ! Ce magistrat, c'était moi !

LA COMTESSE, *avec moquerie.* Vous ! . . . vous étiez
alors procureur de la république, ce me semble. . . .

MONTRICHARD. Vous croyez ?

LA COMTESSE. J'en suis sûr.

MONTRICHARD. C'est possible.

LA COMTESSE. Or donc, puisque c'était vous, monsieur
le baron, vous souvenez-vous qu'une petite fille de treize
ou quatorze ans ? . . .

MONTRICHARD. Fit évader les trois chefs vendéens à
ma barbe, et avec une adresse . . .

LA COMTESSE. Épargnez ma modestie, monsieur le
baron ; cette petite fille, c'était moi !

7 *service :* here = "work."

13 *Si je,* etc. Supply : *vous me demandez si,* etc., or, *Est-ce que
vous me demandez si,* etc. ? He means, "How can I forget ?" or "O,
certainly, I remember," or "I remember very well, I assure you."

MONTRICHARD. Vous? . . . madame? . . .

LA COMTESSE. Douze ans après, en Normandie . . .
où vous étiez, je crois fonctionnaire sous l'Empire . . .

MONTRICHARD, *avec embarras.* Madame! . . .

5 LA COMTESSE. Eh! mon dieu! . . . qui n'a pas été
fonctionnaire sous l'Empire! Vous rappelez-vous ces
compagnons du général Moreau qui allèrent rejoindre
une frégate anglaise? . . .

MONTRICHARD. Sous prétexte d'un déjeuner, d'une
10 promenade en rade . . .

LA COMTESSE. Où je vous avais invité. . . . Ne vous
fâchez pas. . . . Vous voyez, comme je vous le disais,
que nous avons déjà combattu l'un contre l'autre sur
terre et sur mer . . . aujourd'hui, nous voici de nouveau
15 en présence, vous, cherchant toujours, moi, cachant encore, du moins à ce que vous croyez. . . . Rien de
changé à la situation, sinon que vous êtes aujourd'hui
préfet de la royauté. Mais ce n'est là qu'un détail. Eh
bien! baron, suivez mon raisonnement . . . ou M. de
20 Flavigneul est ici, ou il n'y est pas!

MONTRICHARD. Il y est, madame!

LA COMTESSE. A moins qu'il n'y soit pas.

7 *Moreau* (1763–1813), a distinguished general, the victor of
Hohenlinden (1800), a rival of Napoleon. He escaped imminent
death in 1804, the year in which Napoleon made himself emperor and
mercilessly suppressed all evidences of discontent with his rule. Moreau was killed at the battle of Dresden, the last battle Napoleon won
on German soil.

16 *à ce que:* see *à.*

18 *Mais . . . détail:* spoken ironically, as appears from the grada-
tion, *république — empire — royauté.*

MONTRICHARD. Il y est!

LA COMTESSE. Décidément? . . . Eh bien! vous savez comme je cache, cherchez! . . . (*Elle se lève.*)

MONTRICHARD. (*Il se lève.*) Vous verrez comme je
5 cherche . . . cachez! . . . Ah! madame la comtesse, vous me prenez pour le novice de 98, ou pour l'écolier de 1804, mais j'étais jeune alors, je ne le suis plus!

LA COMTESSE. Hélas! . . . je le suis moins!

MONTRICHARD. L'ardent et crédule jeune homme est
10 devenu homme!

LA COMTESSE. Et la jeune fille est devenue femme! Ah! monsieur le baron, vous venez m'attaquer . . . chez moi! dans mon château! Pauvre préfet! quelle vie vous allez mener! je ris d'avance de toutes les fausses alertes
15 que je vais vous donner. . . . Vous serez en plein sommeil! . . . debout! le proscrit vient d'être aperçu dans une mansarde. Vous serez assis devant une bonne table, car vous êtes fort gourmet, je me le rappelle . . . à cheval! M. de Flavigneul est dans la forêt! . . . Allons,
20 parcourez le château, fouillez, interrogez . . . et surtout de la défiance! défiez-vous de mes larmes! défiez-vous de mon sourire! . . . quand je parais joyeuse, pensez que je suis inquiète . . . à moins que je ne prévoie cette prévoyance, et que je ne veuille la déconcerter par
25 un double calcul . . . Ah! ah! ah!

6 The Vendean uprising occurred in 1793, not 1798. The change of date is evidently made to tally with the alleged age of the countess, stated by her (p. 17) to be thirty-three in 1817.

7 *le*: i.e. *jeune*.

19 *Allons*: see *aller*.

HENRI, *à part.* Par le ciel, cette femme est ravissante !

LA COMTESSE, *à Henri.* Servez des rafraîchissements à monsieur le baron . . . Prenez, prenez des forces, baron . . . vous en aurez besoin . . . (*Voyant que Henri* 5 *rit encore et n'apporte rien.*) Eh bien ! que faites-vous là avec vos bras pendants et votre mine bêtement réjouie . . . Servez donc ! . . . Adieu ! baron . . . ou plutôt au revoir ! . . . (*A Montrichard en s'en allant.*) car si vous devez rester ici jusqu'à capture faite . . . vous voilà 10 chez moi en semestre . . . (*Lui faisant la révérence.*) ce dont je me félicite de tout mon cœur. . . . Adieu ! baron, adieu ! . . . (*Elle sort par la porte du fond.*)

SCÈNE X

HENRI, MONTRICHARD.

MONTRICHARD, *se promenant, pendant que Henri le suit en tenant un plateau de rafraîchissements.* Démon de 15 femme ! voilà le doute qui commence à me prendre . . . on m'a trompé peut-être. . . . M. de Flavigneul n'est pas ici. . . .

HENRI, *le suivant.* Monsieur le baron désire-t-il ? . . .

MONTRICHARD, *se promenant toujours.* Tout à l'heure ! 20 . . . S'il y était . . . la comtesse aurait-elle ce ton insultant et railleur ?

3 *Prenez des forces :* see *prendre.*

9 *jusqu'à capture faite.* Observe the omission of the article.

10 *en semestre :* an officer of the army is said to be *en semestre* when he is enjoying a six months' leave of absence granted after a certain number of years of continuous service.

HENRI, *lui offrant toujours à boire.* Monsieur le baron . . .

MONTRICHARD. Tout à l'heure, vous dis-je! . . . (*A lui-même.*) Mais s'il n'y est pas . . . mon expédition va
5 me couvrir de ridicule . . . sans compter que le crédit de la comtesse est considérable et qu'elle peut me perdre. . . . Si je repartais? . . . oui, mais s'il est ici! si une heure après mon départ la comtesse fait passer la frontière à M. de Flavigneul, me voilà perdu de réputation.
10 . . . Ah! j'en ai la tête tout en feu!

HENRI. Si monsieur le baron voulait des rafraîchissements?

MONTRICHARD. Va-t'en au diable!

HENRI. Oui, monsieur le baron!

15 MONTRICHARD. Attends . . . Quelle idée . . . oui! . . . (*A Henri.*) Venez ici et regardez-moi . . . (*Il boit après l'avoir examiné.*) Vous ne me semblez pas aussi niais que vous voulez paraître . . .

HENRI. Monsieur le baron est bien bon!

20 MONTRICHARD. L'air vif, l'air fin . . .

HENRI, *à part.* Où veut-il en venir?

MONTRICHARD, *après un moment de silence.* Votre maîtresse vous a bien maltraité tout à l'heure . . .

HENRI. Oui, monsieur le baron.

25 MONTRICHARD. Est-ce qu'elle vous soumet souvent à ce régime-là?

7 *Si je repartais:* see *si.* Cf. l. 15, p. 102.
9 *à* before *monsieur* shows this noun to be the direct object of *fait.*
21 *Où veut-il en venir?* see *venir.*

HENRI. Tous les jours, monsieur le baron.

MONTRICHARD. Et combien vous donne-t-elle de surcroît de gages, pour ce supplément de mauvaise humeur?

HENRI. Rien du tout, monsieur le baron.

5   MONTRICHARD.   Ainsi malmené et mal payé? . . .
(*Changeant de ton.*)   Mon garçon, veux-tu gagner vingt-
cinq louis?

HENRI. Moi, monsieur le baron, comment?

MONTRICHARD. Le voici! . . . (*Mystérieusement.*)
10 M. Henri de Flavigneul doit être caché dans ce
château.

HENRI. Ah!

MONTRICHARD. Si tu peux le découvrir et me le montrer . . . je te donne vingt-cinq louis.

15   HENRI, *riant*. Rien que pour vous le montrer, monsieur le baron?

MONTRICHARD. Pourquoi ris-tu?

HENRI. C'est que c'est de l'argent gagné!

MONTRICHARD. Est-ce que tu sais quelque chose?

20   HENRI. Un peu, pas encore beaucoup, mais c'est égal!
. . . ou je me trompe fort ou je vous le montrerai.

MONTRICHARD. Bravo! . . . tiens, voilà un louis d'a-
vance!

HENRI. Merci, monsieur le baron.

25   MONTRICHARD. Et maintenant va-t'en de peur qu'on
ne nous soupçonne de connivence . . . la comtesse est
si fine! . . .

HENRI. Oui, monsieur le baron. . . . (*Revenant.*)

9 *Le voici!* cf. l. 11, p. 25.

Monsieur le baron . . . si je tâchais de me faire attacher
par madame à votre service, nous pourrions plus facile-
ment nous parler . . .

MONTRICHARD. Très bien ! . . . je vois que je ne me
5 suis pas trompé en te choisissant . . .

HENRI. Merci, monsieur le baron. (*Il sort.*)

SCÈNE XI

MONTRICHARD, *seul.*

Et d'un allié dans la place ! ce n'est pas maladroit ce
que j'ai fait là . . . cela vous apprendra à gronder vos
gens devant moi, madame la comtesse . . . Mais, voy-
10 ons ; il n'est pas de citadelle, si forte qu'elle soit, qui
n'ait un côté faible, et vous n'êtes pas ici, madame, la
seule que l'on puisse attaquer . . . (*Tirant un portefeuille.*) Quels sont les habitants de ce château ? . . .
(*Lisant.*) M. de Kermadio, frère de la comtesse,
15 personnage muet ; M. de Grignon . . . ce doit être un
parent de M. de Grignon, le président de la cour
prévôtale, un homme de notre bord . . . il pourra

7 *d'un :* the *de* is idiomatic = "one" instead of "a" ("an");
"already" is implied.

10 *si forte qu'elle soit :* under *que.*

11 *n'ait.* The subjunctive is due to the preceding *il n'est pas,* which
amounts to an absolute negation. It is required by rule after *seul,*
premier, rien, and superlatives.

12 *la seule que l'on puisse :* same rule.

17 *de notre bord, de notre classe* (see voc.): expressions showing
aristocratic pride and that the speaker is very willing to make people
forget his former affiliations with republicans and imperialists.

m'être utile. . . . *(Continuant de lire.)* Ah! arrêtons-
nous là. . . . Mademoiselle Léonie de Villegontier . . .
nièce de la comtesse . . . et une nièce non mariée! . . .
elle doit avoir seize ou dix-sept ans au plus . . . on se
5 marie très jeune dans notre classe . . . et . . . M.
de Flavigneul . . . quel âge a-t-il? vingt-cinq ans, à ce
que l'on dit; sa figure? . . . je n'ai pas encore son signalement, mais j'attends; d'ailleurs, il doit être beau,
un proscrit est toujours beau! donc, si M. de Flavi-
10 gneul est ici, mademoiselle Léonie le sait . . . si elle le
sait, elle doit lui porter de l'intérêt . . . peut-être mieux,
et mon arrivée doit la faire trembler . . . or, à seize ans,
quand on tremble, on le montre . . . ce n'est pas comme
la comtesse! quelle femme! en vérité je crois qu'on en
15 deviendrait amoureux si l'on avait le temps. . . . Une
jeune fille s'avance vers ce salon; la figure romanesque,
le front rêveur, les yeux baissés . . . ce doit être elle.
. . . Oh! si je pouvais prendre ma revanche! . . . es-
sayons!

SCÈNE XII

Montrichard, Léonie.

20 Léonie, *l'apercevant.* Pardonnez-moi, monsieur le baron . . . je croyais ma tante dans ce salon, je venais . . .

13 *ce:* here *ce* is a neuter, though a lady is meant. It is customary in
French to use occasionally, either in jest or from contempt, *ce* in a
neuter sense for a person of either gender, particularly if that person is
younger than the speaker. Hence *ce* = Léonie here.

16 *romanesque*, from *roman*, "novel," must not be taken to be the
same as *romantique*, "romantic," although the two words have something in common.

MONTRICHARD. Elle sort à l'instant, mademoiselle,
mais je serais bien malheureux si son absence me faisait
traiter par vous en ennemi!

LÉONIE. Moi, vous traiter en ennemi! comment, mon-
5 sieur. . . .

MONTRICHARD. En vous éloignant. . . . Mon dieu!
. . . je conçois votre défiance . . .

LÉONIE. Ma défiance?

MONTRICHARD. Sans doute, vous croyez que je viens
10 ici pour vous ravir quelqu'un qui vous est cher!

LÉONIE, à part. Il veut me sonder, mais je vais être
fine. . . . (Haut.) Je ne sais pas ce que vous voulez
dire, monsieur.

MONTRICHARD. Ce que je veux dire est bien simple,
15 mademoiselle. Il y a une heure, quand vous m'avez
vu arriver ici . . . suivi d'hommes armés . . . vous avez
dû me prendre pour votre adversaire. Je l'étais en effet,
puisque je croyais M. de Flavigneul dans ce château,
et que je venais pour l'arrêter . . . mais maintenant tout
20 est changé!

2 *faisait traiter:* note that in a conditional clause, with *si, faisait,*
not *ferait,* is the proper tense, and that the subjunctive is not required
with *si;* also that *traiter* has a passive force, as though it was *être traité,*
after *faire.* But this special meaning of a simple infinitive must be
ascertained from the context or the intention of the speaker. A form
like *me faisait être traité* is not French. Cf. l. 21, p. 62.

16 *vous avez dû prendre:* notice that the French sentence is grammatically formed, while its English equivalent, "you must have taken," is
idiomatic. The reason is that the French verb is complete in its
forms, while the English is defective, lacking the infinitive and past
participle. Cf. also: *can, may, must, ought, shall, will.*

LÉONIE. Comment?

MONTRICHARD. Je sais . . . j'ai la certitude que monsieur de Flavigneul n'est pas ici.

LÉONIE. Ah!

5 MONTRICHARD. Et je pars!

LÉONIE, *vivement*. Tout de suite?

MONTRICHARD, *souriant*. Tout de suite! . . . tout de suite! . . . Savez-vous, mademoiselle, que votre empressement pourrait me donner des soupçons . . .

10 LÉONIE, *commençant à se troubler*. Comment, monsieur?

MONTRICHARD. Certainement! A vous voir si heureuse de mon départ . . . je pourrais croire que je me suis trompé . . . et que M. de Flavigneul est encore 15 ici . . .

LÉONIE, *avec agitation*. Moi, heureuse de votre départ! au contraire, monsieur le baron; et certainement, si nous pouvions vous retenir longtemps, très longtemps . . .

MONTRICHARD, *souriant*. Permettez, mademoiselle, 20 voilà que vous tombez dans l'excès contraire! Tout à l'heure, vous me renvoyiez un peu trop vite, maintenant vous voulez me garder un peu trop longtemps . . . ce qui, pour un homme soupçonneux, pourrait bien indiquer la même chose. . . .

25 LÉONIE, *avec trouble*. Je ne comprends pas . . . monsieur le baron.

---

10 The difference between the French *trouble* and English "trouble" is here very marked. See *trouble*.

22 *garder:* not "guard."

MONTRICHARD, *souriant*. Calmez-vous, mademoiselle, calmez-vous! ce sont là de pures suppositions . . . car je suis certain que M. de Flavigneul n'est pas ou n'est plus dans ce château.

5 LÉONIE. Et vous avez bien raison!

MONTRICHARD. Aussi, par pure formalité, et pour acquit de conscience . . . (*Souriant.*) je ne veux pas avoir dérangé tout un escadron pour rien . . . (*L'observant.*) je vais faire fouiller les bois environnants par les dragons.

10 LÉONIE, *tranquillement*. Faites, monsieur le baron.

MONTRICHARD, *à part*. Il n'est pas dans les bois . . . (*A Léonie.*) Visiter les combles, les placards, les cheminées du château . . .

LÉONIE, *de même*. C'est votre devoir, monsieur le baron.

15 MONTRICHARD, *à part*. Il n'est pas caché dans le château! . . . (*A Léonie.*) Enfin, interroger, examiner, car il y a aussi des déguisements . . . (*Léonie fait un mouvement. A part.*) Elle tressaille! . . . (*Haut.*) Interroger donc, toujours par pur scrupule de conscience

20 . . . les garçons de ferme. . . . (*A part.*) Elle est calme! . . . (*A Léonie, et l'observant.*) les hommes de peine, les domestiques. . . . (*A part.*) Elle a tremblé. . . . (*Haut.*) Et enfin . . . ces formalités remplies, je partirai avec regret, puisque je vous quitte, mesdames,

25 mais heureux cependant de ne pas être forcé d'accomplir ici mon pénible devoir. . . .

LÉONIE, *avec agitation*. Comment, monsieur le baron, quel devoir?

6 *pour acquit de conscience:* see *acquit*.

MONTRICHARD. Mais, vous ne l'ignorez pas, M. de Flavigneul est militaire, et je devrais l'envoyer devant un conseil de guerre.

LÉONIE, *éperdue.* Un conseil de guerre ! . . . mais c'est la mort ! . . .

MONTRICHARD. La mort . . . non ; mais une peine rigoureuse !

LÉONIE. C'est la mort, vous dis-je ! Vous n'osez me l'avouer ! mais j'en suis certaine ! . . . La mort pour lui ! oh ! monsieur, monsieur, je tombe à vos genoux ! grâce ! . . . il a vingt-cinq ans ! il a une mère qui mourra s'il meurt ! il a des amis qui ne vivent que de sa vie ! grâce ! . . . il n'est pas coupable, il n'a pas conspiré . . . il me l'a dit lui-même . . . ne le condamnez pas !

MONTRICHARD, *à Léonie.* Pauvre enfant ! . . . (*A part.*) Après tout, c'est mon devoir. . . . (*Haut.*) Prenez garde, mademoiselle . . . vous me parlez comme s'il était en mon pouvoir ! . . . Il est donc ici ? . . .

LÉONIE, *au comble de l'angoisse.* Ici ! . . . je n'ai pas dit . . .

MONTRICHARD. Non, mais quand j'ai parlé d'interroger les domestiques du château, vous avez pâli. . . .

LÉONIE. Moi ! . . .

MONTRICHARD. Vous vous êtes écriée : Il me l'a dit lui-même ! . . .

LÉONIE. Moi ! . . .

MONTRICHARD. A l'instant, vous me disiez : Ne l'arrêtez pas ! . . .

LÉONIE. Moi ! . . . (*Apercevant Henri qui entre, elle*

pousse un cri terrible et reste éperdue, la tête dans ses deux mains.)

HENRI, *à ce cri et apercevant Montrichard, va à lui et vivement à voix basse.* Je suis sur la trace!

5   MONTRICHARD, *bas.* Et moi aussi.

HENRI. Il est dans le château.

MONTRICHARD. Je viens de l'apprendre.

HENRI. Sous un déguisement.

MONTRICHARD, *bas.* Bravo! . . . (*Voyant que Léonie*
10 *a relevé la tête et le regarde.*) Silence! . . . (*S'approchant de Léonie.*) Je vous vois si émue, si troublée, mademoiselle, que je craindrais que ma présence ne devînt importune. . . . Je me retire. . . . (*A Henri, en s'éloignant.*) Veille toujours, et qu'il ne sorte pas d'ici.

15   HENRI, *bas.* Il n'en sortira pas . . . tant que j'y serai. . . .

MONTRICHARD. Bien! . . . (*Il sort.*)

SCÈNE XIII

LÉONIE, HENRI.

HENRI, *se jetant sur une chaise en riant.* Ah! ah! ah! quelle scène!

20   LÉONIE. Ah! ne riez pas, monsieur, ne riez pas! . . .

---

12 *ne devînt:* a past subjunctive (not out of place in the mouth of an aristocratic speaker like the *préfet*), dependent on *craindrais.*

14 *Veille toujours:* see *toujours.*

15 *en, y:* note that *y* stands for *ici,* and *en* for *d'ici.*

Henri. Ciel! quelle douleur sur vos traits! Qu'avez-vous donc?

Léonie. Accablez-moi, monsieur Henri, maudissez-moi! . . .

5 Henri. Vous? . . .

Léonie. Je suis une malheureuse sans foi et sans courage!

Henri. Au nom du ciel! que dites-vous?

Léonie. Vous vous étiez confié à moi, vous m'avez 10 révélé le secret d'où dépend votre vie. . . . Eh bien! ce secret, je l'ai livré . . . je vous ai trahi!

Henri. Comment?

Léonie. Devant votre juge, ici . . . à l'instant même! . . . Oh! lâche que je suis! . . . j'ai eu peur! . . . 15 (*Se reprenant vivement.*) peur pour vous, monsieur! . . .

Henri, *surpris.* Est-il possible?

Léonie, *sanglotant.* Moi! . . . vous perdre? . . . moi, qui donnerais ma vie pour vous sauver! . . .

Henri. Qu'entends-je?

20 Léonie. Mais, je ne survivrai pas à votre arrêt, je vous le jure . . . Aussi, je vous supplie de ne pas m'en vouloir et de me pardonner . . . (*Elle se jette à genoux.*)

Henri, *voulant la relever.* Léonie! au nom du ciel! . . .

SCÈNE XIV

Les Mêmes, La Comtesse, *entrant vivement.*

La Comtesse. Que vois-je? . . . Et que fais-tu 25 là? . . .

21 *en vouloir:* see *vouloir.*

LÉONIE. Je lui demande grâce et pardon, car c'est par moi que tout est découvert, par moi que tout est perdu!

LA COMTESSE, *vivement*. Perdu! . . . Perdu! . . . non pas; je suis là, moi!

5 LÉONIE, *avec joie*. Oh! ma tante! . . . sauvez-le! . . .

HENRI. Ne craignez rien, M. de Montrichard m'a pris pour complice! . . .

LA COMTESSE, *vivement*. Ne vous y fiez pas! Un mot, un geste, une seconde suffisent pour l'éclairer; mais je suis là! . . .

SCÈNE XV

LES MÊMES, DE GRIGNON.

DE GRIGNON. Qu'est-ce que cela signifie, le savez-vous, comtesse? qu'est-ce que tous ces bruits de conspiration, de conspirateurs déguisés? . . .

LA COMTESSE. Un rêve de M. de Montrichard!

5 DE GRIGNON. Un rêve? soit; mais en attendant on arrête tout le château, toute la livrée!

LÉONIE, *avec frayeur*. O ciel!

LA COMTESSE, *à de Grignon*. Vous en êtes sûr? . . .

DE GRIGNON. Parfaitement! je viens de voir saisir votre cocher et un de vos valets de pied . . . mais, tenez, voici un brigadier de gendarmerie . . . non, de dragons

15 *en attendant:* see *attendre.*

19 *saisir:* here passive, like *traiter* in ll. 2-3, p. 73. After *voir* the direct object is the agent (here the soldiers), while the object of *saisir* is the coachman.

. . . qui vient sans doute ici avec des intentions . . . **de** gendarme. . . .

SCÈNE XV

LES MÊMES, LE BRIGADIER.

LE BRIGADIER, *à Henri.* Ah! c'est vous que je cherche, monsieur.

5 HENRI. Moi?

LE BRIGADIER. Veuillez me suivre. . . .

HENRI, *au brigadier.* Il y a erreur, monsieur, je suis attaché au service particulier de M. le préfet.

LE BRIGADIER. Il n'y a pas erreur; mes ordres sont 10 précis; veuillez me suivre! . . .

LA COMTESSE, *bas à Henri.* N'avouez rien, je réponds de tout. . . . (*Haut.*) Allez donc, Charles, allez, obéissez.

HENRI. Oui, madame. (*Il va prendre son chapeau sur* 15 *la cheminée.*)

LA COMTESSE, *bas à de Grignon.* Ici, dans un quart d'heure, il faut que je vous parle, à vous seul.

DE GRIGNON. Moi?

LA COMTESSE. Silence! . . . (*Elle se dirige à gauche,* 20 *vers Léonie.*)

DE GRIGNON, *à part.* Un rendez-vous? De mieux en mieux!

---

1 *intentions . . . de gendarme:* the sentence is almost untranslatable. "He comes here with armed-police intentions" is probably the nearest approach. Such adjective phrases are frequent in French and add much to the flexibility of the language.

LÉONIE, *à part.* Et c'est moi qui le perds!

HENRI, *au brigadier.* Je vous suis.

LA COMTESSE, *à part.* Perdu par elle! sauvé par moi!
. . . (*Elle sort par la gauche, avec Léonie; de Grignon,*
5 *par la droite; Henri et le brigadier sortent par le fond.*)

2 *suis:* from *suivre.*

ACTE TROISIÈME

(Même décor)

SCÈNE I

La Comtesse, Léonie, *entrant chacune d'un côté opposé.*

La Comtesse, *à Léonie.* Eh bien ! quelles nouvelles ?

Léonie. J'ai exécuté toutes vos instructions sans trop les comprendre.

La Comtesse. Cela n'est pas nécessaire . . . La 5 livrée de George, mon valet de pied . . .

Léonie. Je l'ai fait porter, comme vous me l'aviez dit . . . (*Montrant l'appartement à gauche.*) là dans cet appartement ; mais M. de Montrichard . . .

La Comtesse. Il a appelé tour à' tour devant lui tous 10 les domestiques de la maison, les renvoyant après les avoir interrogés.

Léonie. Et M. Henri ?

La Comtesse. Il l'a toujours gardé auprès de lui.

Léonie, *effrayée.* C'est mauvais signe.

15 La Comtesse. Peut-être !

Léonie. Signe de soupçon . . .

<hr>

2 *sans trop comprendre:* see *trop.*

LA COMTESSE. Ou de confiance! car Tony, notre petit groom, qui écoute toujours, a entendu, en plaçant sur la table des plumes et de l'encre qu'on lui avait demandées . . .

5 LÉONIE. Il a entendu . . .

LA COMTESSE. Henri disant à voix basse au préfet: "Ne vous découragez pas; je vous assure qu'il est ici, qu'on veut le faire évader sous le costume d'un des gens de la maison."

10 LÉONIE. Quelle audace! . . . Cela me fait trembler . . .

LA COMTESSE. Et moi, cela me rassure! . . . On peut mettre cette idée à profit; mais il faut se hâter. . . . Henri est imprudent! . . . il finira par se trahir! . . .

15 LÉONIE. Et vous voulez le faire évader?

LA COMTESSE. Le faire évader? . . . Enfant! . . . où sont les troupes ennemies?

LÉONIE. Une douzaine de gendarmes dans la cour du château.

20 LA COMTESSE. Bien.

LÉONIE. Une trentaine de dragons en dehors, autour des fossés et devant la grande porte.

LA COMTESSE. Très bien!

LÉONIE. Par exemple, ils ont oublié de garder la 25 porte des écuries et remises qui donne sur la campagne.

LA COMTESSE, *souriant.* Tu crois! . . . Je reconnais bien là M. de Montrichard . . .

---

24 *Par exemple:* see *exemple.*

LÉONIE. Vous en doutez . . . ma tante? . . . (*La conduisant vers la porte à gauche qui est restée ouverte.*) Par la croisée de cette chambre qui donne sur la grande route, regardez . . . pas un seul soldat!

5 LA COMTESSE. Non! mais à vingt pas plus loin, ne vois-tu pas le bouquet de bois? . . . Il doit y avoir là une embuscade.

LÉONIE. Comment supposer. . . . (*Poussant un cri.*) Ah! mon dieu! j'ai vu au dessus d'un buisson le chapeau
10 galonné d'un gendarme. . . .

LA COMTESSE. Quand je te le disais. . . .

LÉONIE. Ah! je comprends! . . . on voulait l'engager à fuir de ce côté. . . .

LA COMTESSE. Pour mieux le saisir . . . précisément.
15 . . . Merci, monsieur le baron! le moyen est bon, et il pourra nous servir!

LÉONIE. Comment?

LA COMTESSE. Fie-toi à moi. . . . J'entends M. de Grignon . . . va dire à Jean, le palefrenier, de mettre
20 les chevaux à la calèche . . .

LÉONIE. Mais, ma tante . . .

LA COMTESSE. Va, ma fille, va! . . . (*Léonie sort par la porte de gauche.*)

---

6 *Il doit y avoir:* see *avoir.*
8 *Comment supposer:* supply *peut-on* after *comment.*
11 *Quand je te le disais:* see *dire.*

SCÈNE II

La Comtesse, De Grignon, *entrant mystérieusement sur la pointe des pieds.*

De Grignon. Me voici, madame, fidèle au rendez-vous
que vous m'avez donné! . . . (*Il va prendre une chaise.*)

La Comtesse, *avec amabilité.* Je vous attendais . . .

De Grignon, *avec joie.* Vous m'attendiez! . . .

5 La Comtesse. Et tout en vous attendant, je rêvais . . .

De Grignon. A qui?

La Comtesse. A vous! . . .

De Grignon. Est-il possible! . . .

La Comtesse. Oui, à ce caractère chevaleresque, à ce
10 besoin de danger, qui vous tourmente. . . .

De Grignon. J'en conviens!

La Comtesse. Et comme rien n'est plus contagieux
que l'imagination, et que, grâce au baron de Montrichard,
j'ai l'esprit tout plein de conspirateurs et d'arrestations
15 . . . j'étais là à faire des châteaux en Espagne . . . de
catastrophes . . . je me figurais un pauvre proscrit condamné à mort. . . .

De Grignon. Et vous étiez le proscrit.

La Comtesse. Non, au contraire, c'est à moi qu'il
20 venait demander asile.

De Grignon. C'est bien aussi . . .

5 *tout en: tout* is idiomatic, as in l. 12, p. 12.

13 *que:* see note l. 19, p. 38.

21 *C'est bien aussi:* see *bien; vous* etc. should follow.

LA COMTESSE. Il m'apprenait qu'il avait une mère, une sœur. . . .

DE GRIGNON. Comme c'est vrai!

LA COMTESSE. Et soudain voilà des soldats qui en-
5 tourent le château en m'ordonnant de leur livrer mon
hôte. . . .

DE GRIGNON, *se levant.* Le livrer . . . jamais!

LA COMTESSE. Comme nous nous entendons! . . .
Ils me menaçaient presque de la mort! . . .

10 DE GRIGNON. Qu'importe la mort! surtout si celle
que l'on aime est là pour vous encourager, pour vous
bénir. . . . Ah! comtesse, quand je fais de tels rêves,
avec vous pour témoin, mon cœur bat, ma tête s'exalte. . . .

15 LA COMTESSE, *souriant.* Peut-être parce que c'est un
rêve! . . .

DE GRIGNON. Quoi! Vous doutez qu'en réalité . . .
Mais que faut-il donc pour vous convaincre? Ce matin,
j'ai failli, pour vous, me jeter au milieu des flammes . . .
20 ce soir, je voudrais vous voir dans un péril mortel pour
vous en arracher ou le partager avec vous. . . .

LA COMTESSE. Quelle chaleur! . . .

DE GRIGNON. Ah! vous ne le connaissez pas, ce cœur
qui vous adore, vous ne savez pas de quel sacrifice, de
25 quel dévouement l'amour le rendrait capable . . . Oui
. . . je n'adresse au ciel qu'une prière, c'est qu'il m'envoie une occasion de mourir pour vous!

LA COMTESSE. Eh bien! le ciel vous a entendu.

DE GRIGNON. Comment?

La Comtesse. Cette occasion que vous imploriez, il
vous l'envoie !

De Grignon. Hein ?

La Comtesse. Charles, mon valet de chambre, que
5 vous avez vu arrêter, n'est pas Charles : c'est M.
Henri de Flavigneul.

De Grignon. Quoi ! . . .

La Comtesse. M. Henri de Flavigneul, condamné
à mort comme conspirateur.

10 De Grignon. Ciel !

La Comtesse. Et vous pouvez le sauver ! . . .

De Grignon. Comment ? . . .

La Comtesse. En vous mettant à sa place.

De Grignon. Pour être fusillé ! . . .

15 La Comtesse. Non ! . . . cela n'ira pas jusque-là ;
mais, pendant quelques instants seulement, il faut con-
sentir à passer pour lui. . . .

De Grignon. Ah ! permettez, madame, permettez ;
j'ai dit "tout pour vous !" . . . Mais pour un inconnu
20 . . . pour un étranger. . . .

La Comtesse. Pour un proscrit ! . . .

De Grignon. J'entends bien !

La Comtesse. Dont je suis la complice . . . dont je dois
défendre les jours au péril des miens, et vous hésitez ? . . .

25 De Grignon. Du tout ! du tout ! vous comprenez

3 *Hein ?* This interjection has a trace of coolness in it. Poor
de Grignon begins to show symptoms of fear.

5 *arrêter :* cf. l. 19, p. 79.

25 *Du tout !* This phrase strengthens a negative, but in the absence
of a verb has itself a strongly negative effect.

bien que si je tremble . . . car je tremble . . . c'est
pour vous . . . rien que pour vous . . . car, pour moi
. . . cela m'est bien indifférent.

La Comtesse. Je le savais bien . . . aussi je compte
5 sur votre héroïsme . . . et moi! je tâcherai qu'il soit
sans péril!

De Grignon. Sans péril!

La Comtesse. Je crois pouvoir en répondre.

De Grignon. Sans péril! . . . (*Avec enthousiasme.*)
10 Mais je veux qu'il y en ait . . . moi! . . . je veux le
braver pour vous. . . . Parlez, que faut-il faire?

La Comtesse. Prendre un habit de livrée qui est là.

De Grignon, *avec intrépidité.* Je le ferai! . . . Après?

La Comtesse. Prendre les guides et me conduire . . .

15 De Grignon. Je vous conduirai! . . . Après?

La Comtesse. Jusqu'à deux cents pas d'ici . . . où
des gendarmes se jetteront sur nous.

De Grignon, *avec un commencement d'effroi.* Des gendarmes!

20 La Comtesse. Et vous arrêteront.

De Grignon, *avec peur.* Moi, de Grignon! . . .

La Comtesse. Non pas vous, de Grignon . . . mais
vous, Henri de Flavigneul . . . et quoi qu'on vous dise,
quoi qu'on vous fasse . . .

25 De Grignon. Quoi qu'on me fasse . . .

23 *quoi que* must not be mistaken for *quoique.* Cf. also *quel* (*quelle*)
que, and *quelque.*

25 The speaker betrays his nervousness by repeating the words of the
countess.

La Comtesse. Vous avouerez, vous soutiendrez que vous êtes Henri de Flavigneul. . . . On vous emprisonnera . . .

De Grignon. Moi . . . de Grignon . . .

5 La Comtesse. Vous, de Flavigneul . . . et pendant ce temps le véritable Flavigneul passera la frontière . . . et sauvé par vous, par votre héroïsme . . .

De Grignon. Et moi, pendant ce temps-là?

La Comtesse. Vous! en prison . . . je vous l'ai dit.

10 De Grignon. En prison! . . . (*A part.*) Des fers . . . des cachots. . . . (*Haut.*) Permettez. . . .

La Comtesse. Je vous expliquerai . . . On vient . . . vite, vite, la livrée est là.

De Grignon. Oui, madame . . . je vais. . . .

15 La Comtesse. Eh bien! où allez-vous?

De Grignon. Je vais prendre la livrée. . . .

La Comtesse. Ce n'est pas de ce côté!

De Grignon. C'est juste . . . c'est le salon! . . .

La Comtesse. C'est par ici!

20 De Grignon. C'est vrai! . . . Je n'y vois plus. . . .

La Comtesse. Attendez. . . .

De Grignon. Quoi donc?

La Comtesse. Prenez cette lettre.

De Grignon. Pourquoi?

25 La Comtesse. Pour la mettre dans votre habit.

De Grignon. L'habit de livrée?

La Comtesse. Précisément.

De Grignon. Dans quel but?

20 *Je n'y vois plus:* see *voir.*

LA COMTESSE. Vous le saurez! . . . allez toujours!

DE GRIGNON. Oui, madame!

LA COMTESSE. Soyez prêt à paraître!

DE GRIGNON. En livrée!

5   LA COMTESSE. Sans doute! . . . on vient . . . allez
donc . . . allez vite! . . .

DE GRIGNON, *sortant par la porte à gauche.* Oui . . .
madame! Ah! mon père! ma mère! où m'avez-vous
poussé!

SCÈNE III

LA COMTESSE, LÉONIE.

10   LÉONIE. Ma tante, ma tante . . . monsieur de Montrichard monte pour vous parler!

LA COMTESSE. Déjà? . . . Pourvu qu'Henri ne se
soit pas trahi encore!

LÉONIE. Voici le baron.

15   LA COMTESSE, *lui montrant la table.* Là, comme moi,
à ton ouvrage.

SCÈNE IV

MONTRICHARD, LA COMTESSE, *et* LÉONIE, *assises à droite
et travaillant.*

MONTRICHARD, *parlant en dehors à un dragon.* Con-
tinuez vos recherches; mais suivez surtout le domestique
qui était avec moi.

1 *allez toujours!* see *toujours*.

12 *Pourvu qu'Henri.* This should be *que Henri* by rule, but the
so-called aspirate *h*, found also in other words of German origin, is
often disregarded in the conversational language.

LÉONIE, *bas à la comtesse.* Entendez-vous? Il soupçonne M. Henri.

LA COMTESSE, *avec trouble.* C'est vrai!... (*Se remettant.*) Allons, du sang-froid.

5 MONTRICHARD, *s'approchant de la comtesse et de Léonie
et les saluant.* Mesdames...

LA COMTESSE. Ah! c'est vous, baron? vous venez
vous reposer auprès de nous de vos fatigues; vous devez
en avoir besoin.... Léonie... un fauteuil à mon-
10 sieur le baron.

MONTRICHARD, *prenant lui-même le siège.* Ne prenez
pas cette peine, mademoiselle.

LA COMTESSE, *gaiement.* Eh bien! où en êtes-vous de
vos recherches? Avez-vous fait déjà enfoncer bien des
15 armoires dans le château? avez-vous bien fouillé... interrogé?... Mais à propos d'interrogatoire, comment
appelez-vous cet examen de conscience que vous avez fait
subir à ma nièce?

MONTRICHARD. Mademoiselle ne m'a appris que ce
20 que je savais déjà, que M. de Flavigneul est caché ici
sous un déguisement.

LA COMTESSE. Voyez-vous cela... un déguisement de
femme peut-être.... C'est peut-être ma nièce ou moi?

MONTRICHARD. Riez, riez... Madame la comtesse,
25 mais vous ne me donnerez pas le change....

LA COMTESSE. Je m'en garderais bien!... Savez-
vous que vous avez fait là une belle trouvaille? Ah! çà,

---

4 *du sang-froid:* a verb like *ayez* is understood before *du sang-froid.*
27 *fait une belle trouvaille:* see *trouvaille.*

comment allez-vous faire maintenant pour découvrir le
coupable parmi les vingt-cinq ou trente personnes du
château. . . .

MONTRICHARD. Le cercle se resserre, madame la com-
5 tesse; et si mes soupçons ne me trompent pas, d'ici à peu
de temps . . .

LÉONIE, *bas à la comtesse.* Il sait tout, ma tante! . . .
(*La comtesse lui prend la main pour la faire taire.*)

MONTRICHARD, *continuant.* Dès que j'aurai un si-
10 gnalement que j'attends . . .

LÉONIE, *bas.* Ciel!

MONTRICHARD. Je pourrai, j'espère, ne plus vous
importuner de ma présence.

LA COMTESSE. Ne vous gênez pas, baron; et si vos
15 soupçons se trompent . . . ce qui leur arrive quelquefois
. . . veuillez vous installer ici sans façon, sans cérémonie,
comme chez vous . . .

MONTRICHARD. Moi! . . .

LA COMTESSE. Certainement: et pour vous laisser toute
20 liberté dans vos recherches, je vous demanderai la permission d'aller passer quelques jours à la ville, où des
affaires m'appellent.

LÉONIE, *étonnée.* Vous, ma tante!

LA COMTESSE. Tais-toi donc!

25 MONTRICHARD, *à part.* Ah! elle veut s'éloigner! . . .
(*Haut.*) Vous partez?

LA COMTESSE. Oui, vraiment; et à moins que je ne
sois prisonnière dans mon propre château . . . et que

---

5 *d'ici à peu de temps:* see *temps.*

monsieur le préfet ne me permette pas d'en sortir. . . .
(*Tout le monde se lève.*)

MONTRICHARD. Quelle pensée, madame! . . . C'est
à moi d'obéir, à vous de commander!

5 LA COMTESSE. Vous êtes trop bon.   J'avais d'avance
usé de la permission en demandant mes chevaux . . .
Sont-ils attelés?

LÉONIE. Oui, ma tante.

LA COMTESSE, *sonnant.* Eh bien! pourquoi ne vient-
10 on pas m'avertir?   (*Elle sonne toujours.*)

SCÈNE V

LES MÊMES; DE GRIGNON, *en grande livrée, sortant de
la porte à gauche.*

DE GRIGNON. La voiture de madame la comtesse est
avancée.

LA COMTESSE. C'est bien. . . . Appelez ma femme
de chambre, et partons!

15 MONTRICHARD. Permettez . . . permettez . . . madame. . . . (*à de Grignon*) Restez. . . . Approchez. . .
approchez. . . . J'ai interrogé tout à l'heure votre valet
de pied.

LA COMTESSE. En vérité!

20 MONTRICHARD. Et il me semble que ce n'était pas
celui-là.

LA COMTESSE. J'en ai deux, monsieur le baron.

MONTRICHARD. Deux! Ah! mais, monsieur est-il
bien sûr d'avoir toujours porté la livrée?

LÉONIE, *vivement à Montrichard.* Oh! certainement.

DE GRIGNON, *bas à la comtesse.* Il m'a déjà vu ce matin en bourgeois.

LA COMTESSE, *bas.* Tant mieux!

5 MONTRICHARD. Ce doit être un domestique nouveau . . . très nouveau.

LA COMTESSE, *avec embarras.* Qui peut vous le faire croire?

MONTRICHARD. Un vague souvenir que j'ai, de l'avoir 10 aperçu sous un autre costume.

LA COMTESSE. En effet, il me sert quelquefois comme valet de chambre.

MONTRICHARD. Ah! . . . expliquez-moi donc alors certains signes que je crois remarquer et qui m'étonnent 15 . . . son trouble.

LÉONIE. Du tout! . . .

DE GRIGNON, *à part.* Dieu! que j'ai peur d'avoir peur!

MONTRICHARD. Une certaine noblesse de traits . . . n'est-il pas vrai, mademoiselle?

20 DE GRIGNON, *à part.* Je me trahis moi-même. . . . Je dois avoir l'air si noble en domestique.

LA COMTESSE. Je vous assure, monsieur le baron . . .

LÉONIE. Oh! oui, nous vous assurons . . .

MONTRICHARD. Alors, c'est différent; et puisque vous 25 m'assurez toutes deux que ce garçon est votre valet de pied . . . je ne l'interrogerai pas . . . non . . . je l'arrête. . . . (*Il remonte au fond.*)

---

7 *Qui peut = Qu'est-ce qui peut.*   **27 remonte:** cf. note, p. 7.
17 *que j'ai peur, etc.:* see *que.*

DE GRIGNON, *bas*. Ah! comtesse . . .

LA COMTESSE, *bas*. Tout va bien! nous sommes
sauvés. . . . La lettre . . . tirez la lettre de votre
poche. . . .

5 DE GRIGNON, *bas*. Comment?

LA COMTESSE, *bas*. Et rendez-la moi.

MONTRICHARD, *à la comtesse*. Eh bien! . . . (*Rede-
scendant*) que dites-vous de mon idée?

LA COMTESSE, *avec un embarras feint*. Je dis, je dis,
10 monsieur le baron, que c'est pousser assez loin la raillerie
. . . et que vous ne me priverez pas d'un serviteur qui
m'est utile. . . .

MONTRICHARD. C'est que j'ai dans la pensée qu'il
peut m'être fort utile aussi. . . .

15 LA COMTESSE, *se rapprochant de de Grignon*. Vous ne
le ferez pas!

MONTRICHARD. Pourquoi donc?

LA COMTESSE, *avec un embarras croissant et se rapprochant toujours de de Grignon*. Parce que . . . parce que.
20 . . . (*Bas à de Grignon*.) La lettre. . . . (*Haut*.)
Parce que . . . cet homme est chez moi . . . est à moi
. . . que j'en réponds . . . (*Bas à de Grignon*.) La
lettre, ou vous êtes perdu . . . (*De Grignon tire la lettre
de son habit et va pour la lui remettre*.)

25 MONTRICHARD, *qui a tout suivi des yeux, s'approchant*

13 *C'est que:* determine which of the two translations given in the
vocabulary will fit this case.

16 *ferez:* a future has often the force of an imperative ("shall"),
or nearly so.

22 *que = parce que.*

vivement. Ce papier! je vous ordonne de me remettre ce papier, monsieur. . . .

LA COMTESSE, *avec l'accent le plus troublé, à de Grignon.* Je vous le défends!

5   MONTRICHARD, *vivement.* Toute résistance serait inutile, monsieur . . . ce papier . . .

DE GRIGNON. Le voici, monsieur.

LA COMTESSE, *se cachant la tête dans les deux mains.* Le malheureux, il est perdu!

10   DE GRIGNON, *à part.* J'aimerais mieux être ailleurs!

MONTRICHARD, *lisant l'adresse, puis le commencement de la lettre.* A monsieur de Flavigneul! Mon cher fils . . . (*Il s'arrête, cesse de lire, remet la lettre à de Grignon; avec solennité.*) Monsieur Henri de Flavigneul, au nom du roi 15 et de la loi, je vous arrête. . . . (*Il remonte au fond.*)

LÉONIE, *qui a tout suivi, poussant un cri de joie.* Ah! . . . quel bonheur!

LA COMTESSE, *bas à Léonie.* Pleure donc!

MONTRICHARD, *au dragon.* Emparez-vous de monsieur.

20   LA COMTESSE. Monsieur le baron, je vous en supplie . . .

MONTRICHARD. Je ne connais que mon devoir, madame . . . (*Au dragon.*) Conduisez monsieur dans la pièce voisine . . . constatez son identité, sa déclaration 25 suffira, et après, vous connaissez mes instructions . . . (*Le dragon fait signe que oui.*)

---

18 *donc:* expresses impatience here. Cf. note l. 3, p. 11.

20 *en* in such connections anticipates an objective clause or an infinitive with *de.* 26 *fait signe que oui: que* before *oui* as in *dit que oui.*

De Grignon. Que voulez-vous dire?

Montrichard, *à de Grignon.* Adieu, brave et malheureux jeune homme, croyez que vous emportez mon estime
. . . et mes regrets. . . .

5 De Grignon. Permettez . . . monsieur . . . permettez! . . .

Montrichard, *au dragon.* Emmenez-le.

De Grignon. Où donc? . . . (*La comtesse lui serre
la main, et il sort sans rien dire.*)

10 Montrichard, *à la comtesse, qui a son mouchoir sur les
yeux.* Pardonnez, madame, à mon importunité, mais mon
premier devoir est d'avertir monsieur le maréchal d'un
évènement de cette importance. Où trouverai-je ce qui
est nécessaire pour écrire?

15 La Comtesse. Dans cette chambre. . . . (*Montrant
la porte à gauche.*) Ma nièce va vous le donner, monsieur.

Léonie, *voyant entrer Henri par cette porte.* Ciel!
monsieur Henri!

20 Montrichard, *remonte le théâtre de quelques pas et
se trouve à côté de lui. Bas.* Tu m'avais dit vrai, il
était ici . . . déguisé; mais malgré son déguisement,
je l'ai découvert. . . . (*Lui prenant la main.*) Je le
tiens!

25 Henri, *résolument.* Eh bien! monsieur?

Montrichard. Silence! voilà tes vingt-cinq louis.
(*Il lui glisse dans la main une bourse et sort en passant
devant Léonie, qui ne veut passer qu'après lui.*)

---

1 *voulez dire:* see *vouloir.*

Henri, *stupéfait, avec la bourse dans la main.* Qu'est-ce
que cela signifie?

Léonie, *vivement.* Que je suis au comble du bonheur,
car vous êtes sauvé.

5   Henri. Sauvé! . . .

Léonie. Grâce à ma tante . . . adieu! . . . (*Elle
s'élance dans l'appartement sur les pas de Montrichard.*)

SCÈNE VI

Henri, La Comtesse.

Henri, *jetant la bourse sur la table.* Sauvé! . . . sauvé
par vous! . . .

10   La Comtesse. Pas encore! . . . J'ai détourné les
soupçons du baron . . . il croit tenir le coupable . . .
mais tant que vous serez dans le château, tant que vous
n'aurez pas traversé la frontière . . . je craindrai toujours. . . .

15   Henri. Et moi, je ne crains plus rien . . . grâce à
celle dont l'esprit, dont l'adresse . . .

La Comtesse. De l'esprit, de l'adresse! il n'y a là
que du cœur, cher Henri: c'est parce que je souffrais
. . . c'est parce que tout mon sang était glacé dans mes
20 veines, que j'ai trouvé la force de veiller sur vous! Vous
croyez donc, ingrat . . . car vous êtes un ingrat! . . .
de l'esprit! de l'adresse! grand dieu! . . . Vous croyez
donc que la pitié, que l'affection pour un malheureux,
consistent à perdre la tête au moment de son danger,

à le trahir par son émotion même, comme font les enfants. . . . Non, Henri, la vraie tendresse, la tendresse
profonde, c'est de rire en face de ce péril, c'est de railler
avec la mort dans le cœur; seulement, quand le danger
5 s'éloigne, le courage s'épuise, la force vous abandonne.
. . . (*Fondant en larmes.*) Eh! si vous aviez été arrêté,
j'en serais morte!

HENRI. Chaque jour, chaque instant me révélera donc
en vous une qualité nouvelle. . . . Je cherche en vain
10 dans mon cœur quelques paroles qui vous disent tout ce
que j'éprouve. . . . Vous qui pouvez tout . . . vous qui
savez tout . . . ange, fée, enchanteresse, enseignez-moi
donc le moyen de vous payer de tout ce que je vous
dois!

15 LA COMTESSE. Vous ne me devez rien!

HENRI. De tout ce que je vous ai fait souffrir!

LA COMTESSE, *avec un grand trouble.* Avant de répondre, Henri . . . je dois vous faire une demande
. . . ces paroles si tendres, que vient de prononcer votre
20 bouche . . . sortent-elles bien du fond de votre cœur?

HENRI. Ah! vous m'outragez! Quelle preuve? . . .

LA COMTESSE. Eh bien! c'est . . .

HENRI. Parlez . . . c'est . . .

LA COMTESSE. Eh bien! mon ami . . . c'est de m'ai-
25 mer . . . car je vous aime! . . . Silence . . . on
vient. . . .

SCÈNE VII

Les Mêmes, Montrichard, *une lettre à la main, sor-tant de la chambre où il vient d'entrer.* Léonie.

Montrichard. Merci, mademoiselle. Voici, grâce à vous, mon courrier terminé.

La Comtesse, *à part.* Oh ! si je pouvais le faire sortir maintenant !

5   Montrichard, *s'approchant de la comtesse.* Pardonnez moi ma victoire, madame.

La Comtesse. Ni votre victoire, monsieur le baron, ni votre manière de vaincre . . . Ah ! est-ce là le prix que je devais attendre du service que je vous ai rendu ?

10   Montrichard. Le devoir passe avant la reconnaissance, madame.

La Comtesse. Votre devoir vous commandait-il d'employer la ruse, la trahison ? . . .

Montrichard. Madame ! . . .

15   La Comtesse. Je le répète . . . la trahison ! . . . Vous aurez soudoyé quelque conscience, acheté quel-qu'un de mes gens . . . osez-le nier ! . . . Mais j'y pense ! . . . oui. . . . (*Regardant Henri.*) Vos re-gards d'intelligence avec ce garçon . . . les entretiens 20 mystérieux que vous aviez ensemble ! . . . (*Se tournant vers Henri.*) Ah ! misérable serviteur . . . c'est donc vous qui m'avez trahi ? . . .

16 *Vous aurez* = *il faut que vous ayez,* or **vous devez avoir.**
17 *Mais j'y pense:* see *penser.*

HENRI. Moi, madame?

LA COMTESSE. Oui, vous! . . . je le vois à votre trouble . . . à l'embarras du baron . . . je vous renvoie, je vous chasse . . . sortez. . . . (*D'un air sévère et étouffant* 5 *un sourire.*) Sortez! . . .

MONTRICHARD. Mais . . .

LA COMTESSE. Il ne restera pas une minute de plus à mon service.

MONTRICHARD. Et moi, je le prends au mien!

10 LA COMTESSE. Vous ne le ferez pas, monsieur!

MONTRICHARD. Si vraiment, madame la comtesse . . . (*A Henri.*) Allons, mon garçon, à cheval et au galop jusqu'à Saint-Andéol!

LÉONIE. Ciel!

15 MONTRICHARD, *lui remettant une lettre.* Cette lettre est pour M. le maréchal commandant la division.

HENRI. Mais, monsieur le préfet, les soldats ne me laisseront pas passer.

MONTRICHARD. Je vais en donner l'ordre.

20 HENRI, *bas à la comtesse pendant que Montrichard remonte vers la porte pour donner aux dragons l'ordre de laisser sortir Henri.* Je vous dois ma vie, disposez-en!

MONTRICHARD, *à Henri.* Allons, allons, pars.

HENRI. Dans une heure, monsieur le préfet, je serai 25 à mon poste. . . . (*Montrichard remonte le théâtre avec Henri, en lui donnant ses dernières recommandations.*)

---

11 *Si:* note that *si*, not *oui*, is required in an affirmative answer to a negative question or assertion.

SCÈNE VIII

LES MÊMES, *excepté* HENRI.

MONTRICHARD, *aux dragons du fond*. Et, vous autres, amenez le prisonnier.

LA COMTESSE, *à part*. C'est trop tôt. . . . (*Haut.*) Monsieur le baron, de grâce . . .

5 MONTRICHARD. Je ne suis, vous le savez, ni cruel, ni ami des condamnations, et si l'on m'eût écouté, on eût accordé l'amnistie que je demandais.

LA COMTESSE. Je le sais, eh bien?

MONTRICHARD. Eh bien! ce jeune homme m'intéresse!
10 . . . il est votre ami, et je veux tenter de le sauver.

LÉONIE. De le sauver?

LA COMTESSE. Comment cela? . . .

MONTRICHARD. Cela dépendra de lui . . . je vais lui parler.

15 LA COMTESSE, *avec embarras*. Si vous attendiez? . . . une heure? . . . une demi-heure . . . pour le laisser se remettre d'un premier moment de trouble?

MONTRICHARD. Soyez tranquille . . . dans un instant nous serons d'accord, je l'espère, et avant dix minutes
20 . . . je saurai sans doute de lui . . . tout ce que j'ai besoin de savoir. . . .

---

8 *eh bien?* spoken with energy = "now, what?" or simply "well?"

15 *Si vous attendiez:* "How would it do to wait?" "Why couldn't you wait?" Cf. l. 7, p. 69.

LÉONIE, *à part.* Dix minutes, c'est à peine s'il sera
parti!

MONTRICHARD, *voyant entrer de Grignon avec le dragon.*
Il va venir; veuillez, mesdames, vous éloigner.

5 LA COMTESSE. Un moment encore.

MONTRICHARD, *sévèrement.* C'est mon devoir, comtesse . . .

LA COMTESSE, *s'éloignant avec Léonie.* Oh! mon dieu,
que faire?

10 LÉONIE. Que craignez-vous donc, ma tante?

LA COMTESSE. Si monsieur de Grignon faiblit . . .

LÉONIE. N'a-t-il pas du courage?

LA COMTESSE. Un courage qui n'a pas de patience et
qui ne dure pas longtemps . . . (*Elles sortent par la
15 porte à droite. Le dragon s'éloigne après avoir remis un
papier à Montrichard; la comtesse et Léonie sortent en
faisant des gestes à de Grignon.*)

SCÈNE IX

MONTRICHARD, DE GRIGNON.

MONTRICHARD. Pauvre jeune homme! . . . heureusement son salut dépend encore de lui.

20 DE GRIGNON, *à part.* Je ne suis point à mon aise.

MONTRICHARD, *à de Grignon.* Approchez, monsieur.

DE GRIGNON. Vous désirez me parler, monsieur le
baron?

---

1 *c'est à peine s'il sera parti.* The irregular use of a future after *si*
(conjunction) indicates that *si* stands for *que;* see *peine.*

Montrichard, *de même*. Oui, monsieur, encore une fois avant le moment fatal.

De Grignon, *à part*. Quel moment?

Montrichard, *lui montrant le papier que lui a remis le dragon*. Vous avez reconnu que vous étiez M. Henri de Flavigneul?

De Grignon, *avec un soupir*. Oui!

Montrichard. Ex-officier au service de l'empereur.

De Grignon. Oui!

Montrichard. Et c'est bien vous qui avez signé cette déclaration?

De Grignon, *que la peur reprend*. Oui!

Montrichard. Il suffit: je n'ai pas besoin de vous dire, monsieur, que vous pouvez compter sur les égards, les prérogatives dus à un brave.

De Grignon. Des prérogatives? . . .

Montrichard. Oui. . . . Si vous ne voulez pas qu'on vous bande les yeux, si même vous voulez commander le feu . . . soyez sûr . . .

De Grignon. Commander le feu! . . . qu'est-ce que cela veut dire?

Montrichard. Que malheureusement mes ordres sont formels. Vous avez été déjà jugé et condamné, l'arrêt est prononcé! . . . il ne me reste plus qu'à l'exécuter! . . . (*Gravement.*) Une heure après leur arrestation, tous les chefs doivent être fusillés sans délai et sans bruit.

De Grignon, *hors de lui*. Sans bruit! . . . oh! non pas! . . . j'en ferai du bruit . . . moi! . . . on ne fusille pas ainsi les gens . . . sans bruit est charmant!

MONTRICHARD. Écoutez-moi, monsieur ! . . .

DE GRIGNON. Sans bruit ! . . .

MONTRICHARD. Je dois ajouter, et c'est là l'objet de notre entrevue . . . qu'il est un moyen de salut.

5 DE GRIGNON. Lequel ?

MONTRICHARD. Mais peut-être ne voudrez-vous pas l'adopter.

DE GRIGNON. Et pourquoi donc . . . et pourquoi pas, monsieur. . . . (*A part.*) Sans bruit ! . . .

10 MONTRICHARD. Il a été décidé qu'on accorderait leur grâce à tous ceux qui feraient des déclarations . . . et si vous en avez quelqu'une à me confier . . .

DE GRIGNON, *vivement.* Moi ! . . . certainement . . . et une très importante. . . .

15 MONTRICHARD, *avec joie.* Est-il possible !

DE GRIGNON. Je vous en réponds, une qui est décisive et catégorique.

MONTRICHARD. C'est . . .

DE GRIGNON. C'est . . . que je ne suis pas . . .
20 (*S'arrêtant.*) Ciel ! la comtesse. . . .

SCÈNE X

LES MÊMES, LA COMTESSE.

LA COMTESSE, *entrant vivement par la droite et s'adressant à Montrichard.* Eh bien ! monsieur . . . je suis d'une inquiétude. . . .

---

22 *je suis d'une inquiétude = je suis si inquiète.*

MONTRICHARD. Rassurez-vous! . . . J'en étais sûr
. . . M. de Flavigneul, qui peut se sauver d'un mot
. . . est prêt à nous révéler . . .

LA COMTESSE, *avec effroi, se tournant vers de Grignon.*
5 Quoi? . . . qu'est-ce donc? . . . qu'avez-vous à révéler?

DE GRIGNON, *vivement.* Moi! . . . rien! . . . absolument rien! . . . (*A part.*) Quand elle est là, je n'ose
plus avoir peur. . . .

MONTRICHARD. Mais vous vouliez tout à l'heure me
10 déclarer . . .

DE GRIGNON, *fièrement.* Que je n'avais rien à vous
dire.

LA COMTESSE, *lui serrant la main et à part.* Bravo. . . .

MONTRICHARD, *à la comtesse.* Mais dites-lui donc, ma-
15 dame, dites-lui vous-même, qu'il se perd de gaieté de
cœur . . .

LA COMTESSE, *bas à Montrichard.* Vous avez raison
. . . laissez-moi quelques instants avec lui . . . et je le
déciderai . . . moi! . . .

20 DE GRIGNON, *à part et le regardant.* Quand je la
regarde, il me semble que l'âme de ma mère rentre en
moi! . . .

LA COMTESSE, *à Montrichard, regardant de Grignon.*
Oui! . . . oui . . . j'ai de l'ascendant sur son esprit, il
25 ne me résistera pas. . . .

MONTRICHARD. Soit . . . mais hâtez-vous! je ne puis
vous donner que jusqu'à l'arrivée du président de la cour
prévôtale . . . que nous attendons.

15 *gaieté de cœur:* see *gaieté.*

LA COMTESSE. Et pourquoi?

MONTRICHARD, *à demi-voix*. Dispensez-moi de vous le dire!

LA COMTESSE. Pourquoi?

5 MONTRICHARD, *à voix basse*. Sa présence est nécessaire pour constater que le jugement a été bien et dûment . . .

LA COMTESSE, *lui serrant la main*. Silence!

MONTRICHARD. Vous comprenez? . . .

LA COMTESSE. Très bien!

10 MONTRICHARD, *à de Grignon*. Je vous laisse avec madame! elle aura sur vous, je l'espère, plus de pouvoir que moi. Écoutez la voix d'une amie. . . . (*Montrichard sort par le fond, et l'on voit des dragons en sentinelle auxquels il donne des ordres.*)

SCÈNE XI

LA COMTESSE, DE GRIGNON.

5 LA COMTESSE, *à part, regardant de Grignon avec intérêt*. Pauvre garçon! . . . cela m'a effrayée, comme si réellement . . .

DE GRIGNON. Jamais ses yeux ne se sont portés sur moi avec autant d'amitié, et si ce n'étaient ces dragons qui sont là au fond. . . . (*La comtesse s'approche de de Grignon, et l'entretien s'engage à voix basse.*)

LA COMTESSE. Ah! merci, mon ami, merci!

DE GRIGNON. Vous êtes donc contente de moi?

6 *dûment:* supply *exécuté.*   17 Supply *sa vie était en danger.*

La Comtesse. Oui, et je ne vous demande plus que quelques instants de courage et de fermeté.

De Grignon. De la fermeté? . . . j'en ai, vous êtes là ! . . . mais, ma foi, vous avez bien fait d'arriver.

5 La Comtesse. Vous vous impatientiez un peu?

De Grignon. M'impatienter ! . . . je mourais de . . . (*Avec abandon*) Écoutez, il faut que mon cœur s'ouvre devant vous . . . le mensonge me pèse . . . je ne suis pas ce que j'ai voulu paraître à vos yeux.

10 La Comtesse. Comment?

De Grignon. Je ne suis pas un héros . . . au contraire; quand je dis au contraire . . . ce n'est pas tout à fait juste, car il y a une moitié de moi, une moitié courageuse qui . . . je vous expliquerai cela plus tard . . . 15 tant y a-t-il que quand M. de Montrichard m'a parlé d'être fusillé sans bruit . . . dans une heure . . . la peur m'a pris . . .

La Comtesse. On aurait peur à moins.

De Grignon. Et j'ouvrais la bouche pour m'écrier: 20 Je ne suis pas M. de Flavigneul. Mais vous êtes entrée, et soudain, à votre vue, j'ai eu honte de mes terreurs, j'ai senti que je pouvais faire de grandes choses, pourvu que vous fussiez là ! Ainsi, rassurez-vous, je ne trahirai pas M. de Flavigneul; tout ce que je vous demande, c'est de ne pas m'abandonner . . . soyez là

6 *je mourais de* . . .: we may supply *peur*, though it is also possible that de Grignon wanted to brag of his eager desire to give a proof of his courage. He checks himself, and confesses the truth.

15 *tant y a-t-il que*: see *tant*.

18 *à moins*: see *moins*.

quand le préfet reviendra . . . soyez là quand on me
signifiera ma sentence, soyez là quand. . . . Je suis
capable de tout . . . même de recevoir pour un autre
dix balles au travers du corps, pourvu qu'en les recevant
5 je vous entende dire . . . je suis là!

La Comtesse, *lui prenant la main.* Brave garçon, car
vous êtes brave, je vous connais mieux que vous-même,
c'est votre imagination qui s'effraie . . . ce n'est pas
votre cœur.

10 De Grignon. Bien, bien, parlez-moi ainsi! . . .

La Comtesse. Il ne vous manque qu'un bon danger
qui vous saisisse à l'improviste.

De Grignon. Eh bien! il me semble que j'ai ce qu'il
me faut.

SCÈNE XII

Les Mêmes; Montrichard.

15 Montrichard. Je ne puis attendre plus longtemps
. . . madame! . . . M. le président de la cour prévôtale . . .

La Comtesse. Vient d'arriver . . .

Montrichard. Oui, madame! . . . il faut que M. de
20 Flavigneul se décide à parler . . . ou qu'il me suive!

De Grignon, *hardiment.* Eh bien! je vous suis!

Montrichard. Que dites-vous?

De Grignon, *avec exultation.* Mon parti est pris; le
conseil de guerre, la cour prévôtale, le peloton . . . le feu
25 de file . . .

25 *feu de file:* see *file.*

LA COMTESSE, *effrayée.* Y pensez-vous?

DE GRIGNON, *de même.* Dix balles en pleine poitrine! . . . ça m'est égal! . . . une fois que j'y suis, ça m'est égal. . . . (*A la comtesse.*) Je suis le fils de ma mère. (*A Montrichard.*) Partons, monsieur.

MONTRICHARD. Vous le voulez? . . . partons!

LA COMTESSE. Un instant . . . un instant.

DE GRIGNON. Non, non, partons.

LA COMTESSE. Calmez-vous . . . j'aurais d'abord une ou deux questions importantes à adresser à monsieur le baron.

MONTRICHARD. Des questions importantes?

LA COMTESSE. Oui! monsieur le baron. A quelle heure avez-vous arrêté votre prisonnier? . . .

MONTRICHARD. Il y a une heure à peu près . . . mais je ne vois pas . . .

LA COMTESSE. Dites-moi, baron, vous avez dû beaucoup voyager dans votre département? . . .

MONTRICHARD. Sans doute, madame; mais, encore une fois . . .

LA COMTESSE. Alors, combien faut-il de temps pour aller d'ici à Mauléon sur un bon cheval?

MONTRICHARD. Trois petits quarts d'heure! . . . Mais quel rapport? . . .

LA COMTESSE. Et de Mauléon à la frontière? toujours sur un bon cheval?

MONTRICHARD. Dix minutes, mais . . .

---

1 *Y pensez-vous:* see *penser.*
3 *une fois . . . suis:* see *fois.*

La Comtesse. Trois quarts d'heure et dix minutes . . . total cinquante-cinq minutes.

Montrichard. Oh! c'est trop fort, partons!

La Comtesse. Mais attendez donc! . . . Quel
5 homme! . . . j'ai encore une dernière question à vous faire. M. le président de la cour prévôtale que vous attendiez, ne vous a-t-il pas été envoyé de Paris, et n'est-ce pas, si je ne me trompe, un ancien sénateur? . . .

Montrichard. M. le comte de Grignon!

10 De Grignon, *poussant un cri de joie*. Mon oncle! . . . mon bon oncle!

Montrichard, *stupéfait*. Votre oncle!

La Comtesse, *froidement et lui faisant la révérence*. Ici finissent mes questions, monsieur! je ne vous retiens plus;
15 vous pouvez conduire au président . . . son neveu . . .

Montrichard, *interdit et regardant de Grignon avec effroi*. M. Henri de Flavigneul!

La Comtesse, *riant*. Fi donc! . . . un drame! une tragédie! . . . nous avons mieux que cela à vous offrir!
20 une scène de famille. . . . (*Montrant de Grignon.*) M. Gustave de Grignon, maître des requêtes . . . que son oncle n'avait pas vu depuis longtemps; et c'est à vous, monsieur, qu'il devra ce plaisir!

Montrichard, *tout troublé*. Quoi? . . . monsieur se-
25 rait . . . ou plutôt ne serait pas . . . c'est impossible! . . . vous voulez encore me tromper, madame!

La Comtesse, *riant*. Vous pouvez vous en rapporter

3 *c'est trop fort:* see *fort.*
8 *ancien:* see its two meanings in voc.

au président lui-même et à la voix du sang qui ne trompe jamais ! . . .

MONTRICHARD. Et votre trouble ce matin quand j'ai fait arrêter monsieur.

5   LA COMTESSE. Mon trouble? ruse de guerre.

MONTRICHARD. Cette lettre que j'ai prise sur lui.

LA COMTESSE. C'est moi qui venais de la lui remettre.

MONTRICHARD. Vos larmes de douleur !

10   LA COMTESSE, *riant.* Est-ce que j'ai pleuré? Ah ! pauvre baron, il ne faut pas m'en vouloir . . . je vous avais promis de me moquer de vous . . . et je ne trompe jamais . . . vous le savez?

DE GRIGNON. C'est du génie !

15   MONTRICHARD. Mais alors quel est donc ce coupable? car il était ici, j'en suis certain.

LA COMTESSE. Ah ! voilà ! qui est-ce? cherchez !

MONTRICHARD. Ciel ! quel trait de lumière ! . . . si c'était l'autre !

20   LA COMTESSE. Qui? l'autre? celui à qui vous avez donné un sauf-conduit; celui que vous avez essayé de séduire; celui pour lequel vous avez imploré ma clémence, ah ! je le voudrais bien !

MONTRICHARD. C'est lui ! ah ! je ne suis pas encore 25 vaincu . . . et je cours . . .

14 *du:* observe that the partitive article, so frequent in French, has often no equivalent in English because the mere absence of an article indicates the partitive idea. Cf. *il y a des hommes*, and "there are men."

23 *je le voudrais bien:* see *bien.*

LA COMTESSE. Sur ses traces?... inutile!... vous ne le rattraperez jamais!

MONTRICHARD. Vous croyez?

LA COMTESSE. Il a un trop bon cheval!

MONTRICHARD, *avec colère.* Ah!

DE GRIGNON, *riant.* Ah! ah! ah!

LA COMTESSE. Le cheval du préfet lui-même!... car vraiment vous avez pensé à tout, généreux ami, même à l'équiper!... et à le solder... témoin ces vingt-cinq louis que je suis chargée de vous rendre.... (*Allant les prendre sur la table.*) Car lui donner des honoraires pour vous tromper... c'est trop fort!

MONTRICHARD. Ah! vous êtes un monstre infernal. Tant de duplicité, tant de sang-froid! Et moi qui ai écrit au maréchal: Je tiens le chef! Ah! je me vengerai!

SCÈNE XIII

LES MÊMES; LÉONIE, *entrant, très agitée.*

LÉONIE, *à Montrichard.* Monsieur le baron, voici une dépêche très pressée qui arrive de Lyon... (*Montrichard prend la dépêche, et Léonie s'approche vivement de la comtesse.*)

MONTRICHARD. Du maréchal!

LÉONIE, *bas.* Ah! ma tante, quel malheur!

LA COMTESSE. Quoi donc?

LÉONIE. Il est revenu!

LA COMTESSE, *bas.* Qui?

LÉONIE, *de même*. M. Henri!

LA COMTESSE, *bas*. Comment?

LÉONIE, *bas, et montrant un cabinet à droite*. Il est
là! . . .

5   LA COMTESSE, *bas*. Ciel!

MONTRICHARD, *fait un geste de joie, puis après avoir
lu la dépêche*. Ah! Madame la comtesse! . . . à moi
la revanche!

LA COMTESSE. Que voulez-vous dire?

10   MONTRICHARD. Vous triomphiez, tout à l'heure! . . .
mais à la guerre la fortune est changeante, et malgré
votre esprit et vos ruses, le sort de M. de Flavigneul
est encore entre mes mains; oui, grâce à ces dépêches
que m'envoie M. le maréchal, je puis forcer le fugitif, en
15 quelque lieu qu'il soit, à se remettre lui-même en mon
pouvoir!

LA COMTESSE, *avec trouble*. Vous . . . Comment? . . .

MONTRICHARD. C'est mon secret! A chacun son tour,
madame la comtesse! . . . Je veux seulement, avant
20 mon départ, vous montrer que je sais me venger . . .
Monsieur de Grignon, je vais prévenir votre oncle pour
qu'il vienne lui-même vous rendre à la liberté. . . . Au
revoir, madame la comtesse! (*Il sort.*)

SCÈNE XIV

DE GRIGNON, LA COMTESSE, LÉONIE, *puis* HENRI.

LA COMTESSE. Que m'as-tu dit? Henri!

25   LÉONIE. Il est là.

HENRI, *paraissant par la porte à droite.* Me voici!

DE GRIGNON, *qui est au fond.* Lui!

LA COMTESSE. Malheureux! que venez-vous faire ici?

5 HENRI, *vivement.* Mon devoir! . . . Avez-vous pu croire que je laisserais un innocent périr à ma place?

LA COMTESSE. Périr!

HENRI. Le vieux garde qui accompagnait ma fuite m'a tout appris . . . M. de Grignon s'est offert pour 10 moi . . . M. de Grignon a été arrêté pour moi! . . .

LA COMTESSE. Et M. de Grignon est libre! malheureux enfant! Tenez, qu'il vous le dise lui-même! . . .

HENRI, *apercevant de Grignon et se jetant dans ses bras.* Ah! monsieur, un tel dévouement . . .

15 DE GRIGNON. Entre gens de cœur, ce n'est qu'un devoir. . . . (*A part.*) C'est étonnant . . . je le pense!

LÉONIE. Et être revenu chercher le péril quand tout était dissipé . . . conjuré . . .

LA COMTESSE, *avec énergie.* Tout l'est encore! . . .

20 LÉONIE. Comment?

LA COMTESSE, *à Henri.* Le dernier lieu où l'on vous cherchera maintenant, c'est ici. M. de Montrichard va partir. . . . (*A de Grignon.*) Vous, en sentinelle pour guetter son départ.

25 DE GRIGNON. J'y cours.

LA COMTESSE, *à Henri.* Vous . . . dans ce cabinet.

---

16 *je le pense:* compare this naïve self-confession with the skeptical remark of the countess on p. 28, l. 9.

Henri. Mais . . .

La Comtesse. Oh! je le veux! . . . et dans quelques instants plus de danger . . . (*Henri sort.*)

SCÈNE XV

La Comtesse, Léonie.

La Comtesse, *à Léonie.* Oui, oui, tu peux partager maintenant ma sécurité et ma joie. . . . (*Voyant qu'elle se détourne pour essuyer ses yeux.*) Eh! mon dieu! d'où viennent tes larmes?

Léonie. Je ne pleure pas, ma tante, je ne pleure plus. . . . (*Sanglotant.*) Je suis heureuse . . . il est sauvé! . . . mais en même temps, je suis au désespoir . . . car tout à l'heure, quand il est revenu si imprudemment . . . quand je l'ai caché dans ce cabinet, où je tremblais pour lui . . . (*Pleurant toujours.*) il m'a dit . . .

La Comtesse, *vivement.* Quoi donc?

Léonie, *de même.* Est-ce que je sais? est-ce que je puis me rappeler? Tout ce que j'ai compris . . . c'est que tout était fini pour moi!

La Comtesse, *à part avec tristesse.* J'entends.

Léonie. Que nous ne pouvions jamais être l'un à l'autre . . .

La Comtesse, *de même et à part.* C'est juste! . . . il fallait bien le lui dire! . . . (*Prenant la main de Léonie.*) Pauvre enfant! . . . et tu lui en veux . . . tu le détestes?

3 *plus de danger:* see *plus* and notice that, as there is no verb, the *ne* is lacking, though understood.

LÉONIE. Oh! non!... mais j'en mourrai!

LA COMTESSE, *cherchant à la consoler*. Léonie...
Léonie... il faut de la raison!... car si, par exemple... il était lié à une autre personne...

5 LÉONIE, *vivement*. Justement!... c'est ce qu'il m'a dit! lié à jamais!

LA COMTESSE, *vivement*. Et il t'a nommé cette personne?

LÉONIE. Non!... il ne l'a jamais voulu! mais vous,
10 ma tante, est-ce que vous la connaissez?

LA COMTESSE. Je crois que oui!

LÉONIE. En vérité?... savez-vous si elle l'aime beaucoup.

LA COMTESSE, *avec force*. Oui!...

15 LÉONIE. Et elle est aimable... elle est jolie?

LA COMTESSE. Moins que toi, sans doute....

LÉONIE. Eh bien! alors...

LA COMTESSE. Que veux-tu, mon enfant, on ne raisonne pas avec son cœur... et, quelle qu'elle soit, s'il
20 la préfère... si elle est aimée...

LÉONIE. Mais pas du tout! c'est moi qu'il aime!

LA COMTESSE. O ciel!

LÉONIE. C'est moi! il me l'a avoué... mais il est lié à elle par le respect, par l'amitié, que sais-je! par la
25 reconnaissance...

LA COMTESSE, *vivement*. La reconnaissance... ah!

LÉONIE. Lié surtout par une promesse qu'il lui a faite
... et qu'il tiendra même au prix de son sang! Voilà

19 *quelle qu'elle soit:* see *quel — que.*

qui est absurde! dites-le-lui, ma tante, vous seule pouvez
le décider!

HENRI, *qui depuis quelques instants écoutait et a cherché
en vain à se contenir, s'élance de la porte à droite.* Taisez-
5 vous! taisez-vous!

LA COMTESSE. Ciel!

LÉONIE, *à Henri.* Rentrez, rentrez, de grâce! Si M.
de Montrichard arrivait . . .

HENRI. Que m'importe! . . . j'aime mieux mourir!

10 LA COMTESSE. Mourir plutôt que de manquer à votre
promesse? . . . c'est bien, Henri!

LÉONIE. Mais, ma tante.

LA COMTESSE. Laisse-moi lui parler. (*Bas à Henri.*)
Je vous dois ma vie, disposez-en, m'avez-vous dit . . .
15 (*Léonie s'éloigne de quelques pas.*)

HENRI. Qu'exigez-vous?

LA COMTESSE. La seule chose que j'aie désirée, rêvée,
poursuivie . . . votre bonheur!

HENRI. Ciel!

20 LA COMTESSE, *elle fait signe à Léonie de s'approcher;
elle lui prend la main, et la met dans celle de Henri.* Henri
. . . voici celle qu'il faut choisir.

HENRI. Ah! mon amie . . . mon amie!

LÉONIE. Ah! j'étais bien sûre que je vous le devrais!
25 (*Elle se jette à ses genoux.*)

---

2 No formal engagement had taken place, but the intention was
clearly implied. Cf. Scene VI of this act.

11 *c'est bien* = " very well."

17 *aie:* for the subjunctive cf. rule, l. 11, p. 71.

De Grignon, *rentrant vivement par la porte à gauche.*
Eh bien! qu'est-ce que vous faites donc là? voici M.
de Montrichard!

Tous. M. de Montrichard!

5 Léonie, *à Henri.* Oh! rentrez! rentrez!

De Grignon. Il monte par cet escalier . . . le voici!

Léonie, *à part.* Il n'est plus temps! . . . (*Henri qui
est près du canapé à droite, s'y assoit vivement, les deux
femmes se tiennent debout devant lui, cherchant à le cacher*
10 *par leurs jupes.*

SCÈNE XVI

Les Mêmes, Montrichard.

Montrichard, *entrant par la porte à gauche.* Je viens
vous faire mes adieux, madame la comtesse. . . .

Léonie, *avec joie.* Ah!

Montrichard. Mais, avant de partir, je tiens à vous
15 prouver que je ne me vantais pas en disant que cette dépêche pouvait ramener en mon pouvoir M. de Flavigneul.

Léonie, *à part.* Je tremble!

La Comtesse, *à part.* Que veut-il dire?

Montrichard. Cette dépêche est l'ordonnance que je
20 sollicitais depuis si longtemps, l'ordonnance d'amnistie!

Tous, *poussant un cri de joie.* L'amnistie!

La Comtesse *et* Léonie, *s'écartant du canapé où est
assis Henri.* Il peut donc se montrer . . .

Henri, *se levant.* Ah! monsieur!

20 *sollicitais:* this imperfect corresponds to the English progressive
perfect.

MONTRICHARD, *avec un air de triomphe.* Ah! j'étais bien sûr que je le ferais reparaître.

LÉONIE. Ciel!

DE GRIGNON. C'était un piège; nous y avons donné.

5 . . . (*Tous restent immobiles de terreur. Montrichard s'avance au bord du théâtre et sourit à lui-même avec un air de satisfaction. La comtesse s'approche doucement de lui, le regarde, saisit ce sourire et fait un geste de joie qu'elle réprime aussitôt.*)

10 MONTRICHARD. M. Henri de Flavigneul . . . au nom du roi et de la loi, je vous déclare . . .

LA COMTESSE, *s'avançant et riant.* Je vous déclare libre et gracié . . .

TOUS. Comment?

15 LA COMTESSE, *gaiement.* Eh! sans doute! ne voyez-vous pas que M. de Montrichard veut prendre sa revanche, et qu'il joue là une scène de terreur à mon usage?

LÉONIE. Il serait vrai!

20 LA COMTESSE, *prenant un papier des mains de Montrichard.* Tenez! . . . lisez! . . . Ordonnance d'amnistie . . .

MONTRICHARD. Maudite femme! On ne peut pas plus la tromper en bien qu'en mal.

---

4 *nous y avons donné:* see *donner; y = dans ce piège.*

17 *à mon usage:* see *usage.*

19 *Il serait vrai?:* see *être.*

23 *On ne peut . . . mal:* see *bien,* and *mal.* The meaning of *plus* is general here, implying "any more," and in a translation would be included in a phrase like "it is just as impossible." The difference,

Léonie, *à la comtesse.* Et maintenant, tous trois réunis!

La Comtesse. Oui, ma fille! . . . mais plus tard . . . car aujourd'hui je dois partir!

5   Léonie. Partir!

De Grignon. Vous partez? eh bien! je pars aussi! Oh! vous avez beau dire: je pars! — je vous suis! Rien ne m'arrête! je vous suis jusqu'au bout du monde! et, chemin faisant, j'accomplirai devant vous de si belles

10 choses, que vous finirez par vous dire: Voilà un pauvre garçon dont j'ai fait un héros . . . faisons-en un homme heureux!

La Comtesse. Ne parlons pas de cela! . . . (*Passant près de Montrichard.*) Eh bien! baron?

15 Montrichard. J'ai perdu . . . madame la comtesse. Je suis vaincu.

La Comtesse, *avec émotion.* Vous n'êtes pas le seul! (*Affectant la gaieté.*) Que voulez-vous, baron? pour gagner, il ne suffit pas de bien jouer!

20 Montrichard. Il faut avoir pour soi les as et les rois.

La Comtesse, *à part, regardant Henri.* Le roi surtout! . . . dans les batailles de dames!

---

though not great, is important for a thorough understanding of the use of *plus.*   7 *vous avez beau dire:* see *beau.* — *suis:* from *suivre.*
   18 *Que voulez-vous, baron?* see *vouloir.*
   20 *les as et les rois:* that is, the "trump cards." While this refers to a card game, the title of the piece was undoubtedly suggested by the game of checkers called *jeu de dames,* for in this game, as in chess, the loss of the King means the loss of the game.

VOCABULARY

Nouns are indicated by their gender.

Irregular forms of verbs are given in the form in which they appear in the text; in each case their *infinitive* is referred to.

Words identical or similar in spelling should be looked up, as their *meaning* is not always the same in both languages; for instance, *assister, défier, défiance, trouble.*

A

a, *pres. of* **avoir.**

à, at, in, to; from (*with verbs of separation, etc.*); **être —,** belong to; **— ce que,** according to, as.

abandon, *m.,* absence of reserve; **avec —,** without reserve, effusively.

abandonner, abandon.

abîme, *m.,* abyss, ruin.

abord: in **d'—,** at first, in the first place, before we proceed.

absolument, absolutely.

absoudre, absolve.

absurde, absurd.

accabler, overwhelm, crush.

accent, *m.,* tone, sound, accent; **— de bonne compagnie,** refined manner of utterance.

accompagner, accompany, escort.

accomplir, fulfill, accomplish.

accord, *m.,* agreement; **d'—,** agreed, in harmony.

accorder, allow, concede.

accrocher, hook on; **s'— à,** be caught on a hook.

accuser, accuse.

acheter, buy.

achever, finish, complete.

acquit, *m.,* receipt, acquittal; **pour — de,** to satisfy or quiet.

acquitter, acquit; **s'—,** do the required work, pay one's debt.

acte, *m.,* act.

actif, -ve, active.

action, *f.,* action.

adieu, good-by (*more formal than* **au revoir**).

adjectif, *m.,* adjective.

admirable, admirable, wonderful.

admirer, admire.

adopter, adopt.

adorer, worship.

adresse, *f.,* skill, address.

adresser, address.

adroitement, skillfully, adroitly.

adversaire, *m.*, adversary, enemy.

affectation, *f.*, affectation.

affecter, affect, make a show of.

affection, *f.*, affection.

affliger, afflict, make feel bad.

affreux, frightful.

âge, *m.*, age; **en bas —**, young, little.

agir, act; **s' — de**, be the subject of, concern; **il s'agit de lui**, he is the subject of my concern; **il s'agit de vos jours**, your life is at stake.

agitation, *f.*, agitation, restlessness.

agiter, move violently; **s' —** move uneasily, be restless, be wrought up.

ah, oh; **— bien oui !** the idea ! such a question !

aide, *f.*, help, assistance.

aider, help, assist.

aie, *pres. subj. and imp. of* **avoir**.

aille, *pres. subj. of* **aller**.

ailleurs, elsewhere; **d'—**, besides.

aimer, love, like; **— mieux**, like better, prefer.

aîné, -e, eldest, older.

ainsi, thus, and so, and therefore.

air, *m.*, air; song and melody; appearance; **avoir l'— sérieux**, look serious.

aise, *f.*, comfort; **à mon —**,

à son —, etc., at my, his, etc., ease, at ease, comfortable.

ait, *pres. subj. of* **avoir**.

ajouter, add.

ajuster, adjust, straighten.

alarmer, s'—, become alarmed.

alerte, *f.*, alarm.

Allemagne, *f.*, Germany; **guerre d'—**, War of 1813.

aller, walk, go, be going to; become, be becoming, look well; **s'en —**, go away; **— chercher**, go and get, go after; **— voir**, go and see; **qu'on aille**, let some one go; **allons !** come ! be lively ! never mind ! don't feel discouraged !

allèrent, *past def. of* **aller**.

allié, *m.*, ally.

allons, *imp. of* **aller**.

alors, then.

amabilité, *f.*, amiability.

âme, *f.*, soul, heart.

amener, bring, lead, take to.

ami, *m.*, **amie**, *f.*, friend.

amitié, *f.*, friendship.

amnistie, *f.*, amnesty.

amour, *m.*, love.

amoureux, in love; full of love; *as noun*, a lover.

amuser, entertain, amuse.

an, *m.*, year (*as a division of time*).

ancien, -ne, old, former.

ange, *m.*, angel.

angélique, like an angel, angelic.

anglais, English.

angoisse, *f.*, anguish.

animal, *m.*, animal.

animer, animate, enliven.

année, *f.*, year (*as containing changes, etc.*).

annoncer, announce, report.

antichambre, *f.*, antechamber

antipathie, *f.*, antipathy, repugnance.

apercevant, *pres. p. of* apercevoir.

apercevoir, perceive, notice.

aperçoit, *pres. of* apercevoir.

aperçu, *p.p. of* apercevoir.

apparaître, appear.

apparence, *f.*, appearance.

appartement, *m.*, apartment, room.

appartenir, belong, pertain.

appartient, *pres. of* appartenir.

appeler, call; s' —, be called, have the name of.

applaudir, applaud.

apporter, bring, carry.

apprendre, learn, find out, teach, inform, tell how.

apprêter, prepare, make ready.

appris, *p.p. of* apprendre.

approcher, draw near; s'— de, approach, come near or nearer to.

après, after; afterwards; and then.

arbre, *m.*, tree.

ardent, ardent, fiery.

argent, *m.*, silver, money.

armée, *f.*, army.

armer, arm.

armoire, *f.*, wardrobe, closet.

arracher, snatch (à, *from a person;* de, *from a place*).

arrestation, *f.*, arrest.

arrêt, *m.*, decree, sentence.

arrêter, stop, arrest; que vous avez vu —, whom you saw arrested = when they arrested him; s'—, stop.

arrivée, *f.*, arrival.

arriver, arrive, succeed, happen.

as, *m.*, ace.

ascendant, *m.*, ascendency.

asile, *m.*, place of refuge.

asseoir, seat; s'—, sit down, be seated.

asseyez-vous, *imp. of* s'asseoir.

assez, enough.

assis, *p.p. of* asseoir.

assister à, be present at, attend.

assoit or assied, *pres. of* asseoir.

assurer, assure.

attacher, attach.

attaquer, attack, begin.

atteindre, reach, attain, strike.

atteler, put the horses to a carriage.

attendant, *pres. p. of* attendre; en —, meanwhile; en — que, until.

attendre, wait, wait for; s'— à, expect.

attirail, *m.*, apparatus, instruments, display.

au = à le.

aucun, -e, any one, some one; *with* ne, no one.

audace, *f.*, boldness, audacity.

aujourd'hui, to-day; **d'—**, to-day, to-day's.

auparavant, previously, before.

auprès de, with, near.

auquel = **à lequel**.

aura, aurai, aurez, *fut.* of **avoir**.

aurais, aurait, *condit.* of **avoir**.

aussi, also, and so, and indeed; **— . . . que**, as . . . as.

aussitôt, directly, immediately; **— que**, as soon as.

autant, as much; **j'aime —**, I'd just as lief, it would suit me just as well.

autour de, around, about.

autre, other.

aux = **à les**.

avance, *f.*, advance; **d' —**, in advance, previously.

avancer, bring forward, drive up; be here, be ready; be at your service.

avant, before (*time*); **— de partir**, before leaving.

avec, with.

avenir, *m.*, future; **à l'—**, after this, hereafter.

aventure, *f.*, adventure.

aversion, *f.*, aversion, repugnance.

avertir, give notice, inform.

aveu, *m.*, avowal, confession.

avis, *m.*, notice, opinion.

avoir, have; be the matter with one; **y —**, be; be the matter, be going on (*used impersonally*); *see* **beau, peur, raison, tort**; **j'aurais**, I might have, I think I have.

avouer, avow, confess.

ayant, *pres. p.* of **avoir**.

azaléa, *m.*, azalea.

B

bah ! pshaw !

baiser, kiss.

baiser, *m.*, kiss.

baisser, lower, let down; cas down (*eyes*).

bal, *m.*, ball (*dancing*).

balle, *f.*, bullet.

bander, bandage.

barbe, *f.*, beard; **à ma —** under my nose, while I wa looking on.

baron, *m.*, baron.

barque, *f.*, boat, bark.

bas, -se, low; *see* **âge**.

bataille, *f.*, battle.

battre, beat.

beau, belle, handsome; **avoi beau**, *with inf.*, do, etc., i vain; **vous avez beau dir** no matter what you say, i is of no use for you to say, i is of no use to tell us.

beaucoup, much, many.

bel = **beau**, *before a vowel*.

béni, -e, blessed.

bénir, bless.

besoin, *m.*, need; **j'ai — de**, am in need of.

bêtement, like a fool, stupidl

bien, well, very well; surel truly, really, indeed, course; proper, in order, a right; **— de sa personne**, r

fined and gentlemanly, etc.;
quite proper as to looks,
dress, and style; **être fort —
en cour**, be well liked at
court; **en —**, in a good
sense, by fair means, peace-
ably; **eh —**, well, very well
(*never* ah, well); **eh —?** and
what now? **c'est —**, that
will do; **c'est — aussi**, that
is, however, also; **je le voudrais —**, I should like that
above all things; **—des, many**.

bienfaitrice, f., benefactress.

bienheureux, blessed; blissful;
supremely happy.

bien-né, well-born, of good
family.

bienveillant, benevolent.

billet, m., note, billet.

blâmer de, blame for.

blanc, blanche, white.

blesser, wound.

blessure, f., wound.

boire, drink.

bois, m., wood.

bois, boit, *pres. of* **boire**.

bon, -ne, good.

bonapartiste, Bonapartist, be-
longing to the party of Napoleon Bonaparte.

bonheur, m., happiness; **quel
—!** how fortunate!

bonhomie, f., good nature;
avec —, good humoredly,
jocularly.

bonjour, good day, good morning.

bonté, f., kindness.

bord, m., side, party.

bouche, f., mouth.

bouquet, m., bouquet, group of
flowers.

bouquet de bois, m., clump of
trees.

bourgeois, m., civilian; **en —**,
in citizen's clothes.

bourse, f., purse; **la Bourse**,
Board of Trade, Exchange.

bout, m., end.

bracelet, m.: **— de perles**, pearl
bracelet.

brancard de feuillage, m., litter
of leaves.

branche, f., branch.

bras, m., arm.

brava (*Italian*), *feminine form
of* **bravo**! *So used in French
when the performer is a lady*.

brave (*preceding its noun*)
good; (*following its noun*)
brave.

braver, brave, resist.

brigadier, m., corporal.

brillant, brilliant.

bruit, m., noise, report; pub-
licity.

brûlant, -e, burning, fiery, ardent.

brûler, burn, be on fire, be
anxious.

brusquement, abruptly.

Bucéphale, m., Bucephalus, the
horse of Alexander the Great.

buisson, m., mass of shrubs,
bushes.

but, m., end, purpose; **dans
quel —?** for what purpose?

C

ça = cela; ah çà, by the way.

cabaler, intrigue, cabal.

cabinet, *m.*, cabinet.

cacher, hide; se —, be in hiding.

cachot, *m.*, prison, dungeon.

cadet, -te, younger.

cajolerie, *f.*, flattering, coaxing, cajolery.

calcul, *m.*, calculation.

calèche, *f.*, light carriage.

calme, *m.*, calmness; du —, possess yourself in patience.

calmer, se, be calm, calm one's self.

campagne, *f.*, campaign; the open country.

canapé, *m.*, lounge.

candeur, *f.*, candor, frankness.

cantabile, *m.*, *lit.* singable, *a musical term.*

capable, capable.

capitaine, *m.*, captain.

capture faite, after capture.

car, for.

carabinier, *m.*, soldier armed with a carbine, for light service.

caractère, *m.*, character.

carnet, *m.*, note or memorandum book.

catastrophe, *f.*, catastrophe.

catégorique, absolute, final.

cause, *f.*, cause; à — de, on account of.

causer, cause, speak, chat.

cavalier, *m.*, rider, cavalier, gentleman (*partner at a dance, etc.*).

ce, this, that, it; — me semble, it seems to me; — que, — qui, that which, what; — qu'il y a? what the matter is? c'est que, it is because, the fact is that. . . .

cela, this, that, it.

celle-ci, this one, she.

celui, that one, he; *pl.*, ceux, those.

cependant, yet, however, notwithstanding.

cérémonie, *f.*, ceremony.

certain -e, certain.

certainement, certainly.

certitude, *f.*, certainty.

cesse, *f.*, cessation; sans —, unceasingly.

ceux, *pl.* of celui.

chacun,-e, each, every one.

chagrin, *m.*, vexation, chagrin, regret.

chaise, *f.*, chair.

chaleur, *f.*, heat, warmth; avec —, warmly, passionately.

champêtre, rural; bal —, country ball.

changeant, changeable.

change, *m.*, donner le —, put or get one on the wrong track, fool one.

changer, change; — de, change in respect to (*or, in English,* change, *with a direct object*).

chant, *m.*, song.

chanter, sing.

chapeau, *m.*, hat.

chapitre, *m.*, chapter.

chaque, each.

charger, put in charge of; commission.

charmant, charming.

charme, *m.*, charm, attraction.

chasser, hunt, send away, discharge (for cause).

château, *m.*, castle, country seat; **châteaux en Espagne,** air castles.

chaud, warm, heated.

chavirer, upset, capsize.

chef, *m.*, chief, head, ringleader.

chemin, *m.*, road; — **faisant,** on the way, while going or riding along.

cheminée, *f.*, fireplace.

cher, *m.*, chère, *f.*, dear.

chercher, look for, seek, search; try (*with inf.*) ; see **aller.**

cheval, *pl.* **chevaux,** *m.*, horse.

chevaleresque, chivalrous.

chevalet, *m.*, easel.

cheveu, *m.*, hair.

chevreuil, *m.*, deer, doe.

chez, with; at the house of.

chiffre, *m.*, figure, number.

choisir, choose.

choix, *m.*, choice; **un — de termes,** such choice expressions, such refined language.

chose, *f.*, matter, thing.

ciel, *m.*, heaven, sky; —! good Heavens !

citadelle, *f.*, citadel, fortification.

citer, quote.

civil, -e, civil.

clair, clear, light.

classe, *f.*, class, social order, set.

clémence, *f.*, clemency, mercy.

cocher, *m.*, coachman.

cœur, *m.*, heart, feelings.

coiffure, *f.*, head dress, etc., way of arranging the hair.

colère, *f.*, anger.

collet, *m.*, collar.

combattre, fight.

combien de, how much, how many.

comble, *m.*, height, top, climax; **les —s,** garrets, roofing; **pour —,** as a climax.

combler (de), overwhelm.

comédie, *f.*, comedy.

commandant, *m.*, major.

commander, be at the head of, command.

comme, how, what a! (*in exclamations*); like, as; — **elle est gauche,** how awkward she is !

commencement, *m.*, beginning.

comment, how.

commettre, commit.

commis, *p.p. of* **commettre.**

commun, common.

compagnie, *f.*, company; society.

compagnon, *m.*, companion.

complet, complete.

complice, *m. and f.*, accomplice.

complot, *m.*, plot, conspiracy.

comprenais, comprenaient,
impf. of comprendre.

comprenant, *pres. p. of* comprendre.

comprendre, comprehend, understand.

compromettant (*pres. p. of* compromettre), compromising.

compte, *m.*, account.

comtesse, *f.*, countess.

concert, *m.*, concert.

concevoir, comprehend, understand.

concevrais, *cond. of* concevoir.

conçois, *pres. of* concevoir.

condamnation, *f.*, condemnation; — à mort; death sentence. [tence.

condamner, condemn.

conduire, lead, conduct, drive (*as coachman*), take (*in a carriage*).

conduisant, *pres. p. of* conduire.

confiance, *f.*, confidence.

confier, confide, trust with, intrust.

confondre, blend, mix, cast into one mold.

conjurer, conjure.

connais, *pres. of* connaître.

connaissance, *f.*, acquaintance; consciousness.

connaître, know; ne plus se —, be beside one's self; s'y —, be a judge of, know all about.

connivence, *f.*, complicity.

connu, *p.p. of* connaître.

conscience, *f.*, conscience; consciousness; also, a person whose conscience is for sale.

conseil, *m.*, advice, council; — de guerre, council of war; courtmartial.

conseiller, counsel, give advice.

considérable, considerable, worthy of consideration.

consoler, console.

consternation, *f.*, consternation.

conspirateur, *m.*, conspirator.

conspiration, *f.*, conspiracy.

constater, establish, verify.

constellation, *f.*, constellation.

consulat, *m.*, consulate (of Napoleon, 1799–1804).

contagieux, contagious.

contenir, contain; hold up.

contentement, *m.*, content, happiness.

conter, relate, tell.

continuer, continue.

contraire, contrary.

contraste, *m.*, contrast.

contre, against.

contre-danse, *f.*, a dance resembling a quadrille, country dance.

convaincre, convince.

convenir, suit, agree; en —, agree to it, admit it.

conversation, *f.*, conversation.

conviens, *pres. of* convenir.

coquet, -te, coquettish.

coquetterie, *f.*, coquetry.

corps, *m.*, body.

corriger, correct.

costume, *m.*, costume, dress.

côte, *f.*, rib; coast.

côté, *m.*, side; de ce —, on that side; in this or that direction; à — de, beside; du — de, in the direction of; d'un autre —, on the other hand; de tous —s, everywhere.

couler, run, flow.

coulisse, *f.*, side scene, passage.

coup, *m.*, blow; sudden attempt; — de tête, thoughtless act; tout à —, all of a sudden.

coupable, guilty.

couper, cut.

cour, *f.*, court, courtyard.

courage, *m.*, courage, bravery.

courir, run, hurry.

couronne, *f.*, crown.

courrier, *m.*, mail, mail matter, letter, etc.

cours, *m.*, course.

cours, *pres. of* courir.

court, short; rester —, get stuck, not be able to go on.

couvert, *p.p. of* couvrir.

couvrir, cover.

craignez, *pres. of* craindre.

craindre, fear.

crainte, *f.*, fear.

cravache, *f.*, riding whip.

cravate, *f.*, necktie, cravat.

crayon, *m.*, lead pencil.

crédit, *m.*, credit, reputation.

crédule, credulous.

cri, *m.*, cry, outcry; — du cœur, words which come from the heart.

crieur, *m.*, crier; — des rues, street vender.

crime, *m.*, crime.

croire, believe.

croisée, *f.*, window (*primarily the frame in form of a cross in French casements*).

croissant, *pres. p. of* croître.

croît, *pres. of* croître.

croître, grow, increase.

croix, *f.*, cross.

croyais, *impf. of* croire.

croyant, *pres. p. of* croire.

cru, *p. p. of* croire.

cruel, cruel.

crût, *past subj. of* croire.

curieux, odd, strange; le —, the funny part of it, what is odd about it.

D

dame, *f.*, lady.

danger, *m.*, danger.

dangereux, dangerous.

dans, in, out of.

danse, *f.*, dance.

danser, dance.

date, *f.*, date; de longue —, dating back a long time.

davantage, more.

de, from, of, about, in, in respect to, as regards; d'un ton, in a tone; élégant — figure, elegant as to his face (*or figure*); *following* plus *or* moins, *before a number*, than.

des = de les,

debout, up, standing; être —, be on one's feet, stand.

décacheter, unseal, break a seal.

décidément, decidedly; really.

décider, decide; se —, make up one's mind.

décisif -ve, decisive, final.

déclaration, *f.*, declaration, statement.

déclarer, declare.

déconcerter, disconcert.

déconsidérer, value at less, lower one's estimate of.

décor, *m.*, decoration.

décoration, *f.*, decoration, badge, cross of the Legion, military ornament.

décourager, discourage.

découvert, *p.p. of* **découvrir**; **à** —, open, exposed, unprotected.

découvrir, discover.

dedans, in, within; **au** —, inside; **en** —, within.

défaut, *m.*, defect, fault, shortcoming.

défendre, defend, forbid; **s'en** —, help it, avoid it.

défense, *f.*, prohibition.

défiance, *f.*, distrust.

défier: se —, be distrustful, distrust.

dégrader, degrade; reduce to the ranks.

déguisement, *m.*, disguise.

déguiser, disguise.

dehors, outside; **en** —, on the outside, besides.

déjà, already.

déjeuner, eat breakfast, *m.*, breakfast.

délai, *m.*, delay.

délicat, delicate, refined.

délivrer, deliver, take away.

demander (quelque chose à quelqu'un), ask (*one for something*).

démarche, *f.*, gait, walk, step; measure.

demi, half.

demi-lieue, *f.*, half a league.

demi-voix, **à** —, in a low voice.

demoiselle, *f.*, young lady.

démon, *m.*, demon, fiend.

déparer, deprive of ornament.

départ, *m.*, departure.

département, *m.*, department; one of the eighty-six French government districts.

dépêche, *f.*, dispatch, message.

dépendre, depend.

dépenser, pay out, expend.

dépit, *m.*, spite.

déplaire, displease.

déplaît, *pres. of* **déplaire**.

déployer, unfold.

déposer, put down, deposit.

depuis, since, from; — longtemps, for a long time.

déranger, inconvenience, trouble; se —, put one's self to inconvenience.

dernier, **ère**, last.

dernièrement, lastly, lately; — encore, only quite recently.

derrière, back, behind.

dès, from this time, ever since; — que, as soon as.

désarmer, disarm.

descendre, come down.

désespoir, *m.*, despair.

désintéressement, *m.*, unselfishness, disinterestedness.

désirer, desire.

dessin, *m.*, drawing.

dessiner, draw, design, make drawings.

dessous, below, under; au — de, below.

dessus, above, upon; au — de, above.

détacher, unfasten, detach.

détail, *m.*, detail, trifling matter.

détester, detest.

détourner, turn aside or away.

détruire, destroy.

deux, two; tous *or* toutes —, both; à nous —, it is for us two. . .

deuxième, second.

devant, before; au — de, before, in front of, in front.

devenir, become.

devenu, *p.p. of* devenir.

deviendrai, *fut. of* devenir.

deviner, divine, guess.

devînt, *impf. subj. of* devenir.

devoir, owe; have to, ought to, be under obligation to; je dois, I must, I cannot but; dussé-je, if I were to, if I had to; dussiez-vous, if you should.

devoir, *m.*, duty.

dévoué, devoted.

dévouement, *m.*, devotion.

devra, *fut. of* devoir.

devrais, *cond. of* devoir.

diable, *m.*, devil; (*as an exclamation*) the deuce, etc.

dieu, m., god; Dieu, God; dieu! mon dieu! good Heavens! etc.

différent, different.

difficile, difficult; il est — que cela aille bien, matters there have a bad look.

diplomate, *m.*, diplomatist.

dire, say; vouloir —, mean ; l'on dit, it is said.

diriger, direct; se —, go in a direction.

diront, *fut. of* dire.

dis, *pres. of* dire.

disais, *impf. of* dire.

dise, *pres. subj. of* dire.

disent, *pres. of* dire.

disparaître, disappear.

dispenser, dispense, excuse.

disposer, dispose, command.

dissiper, scatter, dispel.

distinguer, distinguish.

distrait, absent-minded.

dites, 2 *p. pl. of* dire.

divertir, divert, amuse.

division, *f.*, division of the army = two brigades.

dix, ten.

dix-huit, eighteen.

dix-sept, seventeen.

dois, doit, *pres. of* devoir.

domestique, *m.*, servant.

domiciliaire, of the house, referring to the house.

donc, therefore, consequently; (*as an expletive, never of time*) then; please do, etc.

donner, give; **y —,** run into a snare; **— sur** (*of windows*), look out on; **se — de l'importance,** put on airs of importance.

dont, whereof, of which, of whom (*relative*); **ce —,** of which.

double, double.

doucement, softly, gently.

douleur, *f.*, pain, grief.

doute, *m.*, doubt.

douter, doubt.

doux, douce, sweet, gentle, inoffensive.

douzaine; *f.*, dozen.

douze, twelve.

dragon, *m.*, dragoon.

dramatique, dramatic; **du —,** in the line of the drama.

drame, *m.*, drama.

droit, right; **à droite,** at the right side.

droit, *m.*, right, law (*as a principle and a science not statute*).

du = de le.

du = de le (*indicating a part*), some, any.

dû, *p.p.* of **devoir,** due.

duel, *m.*, duel.

dûment, duly.

duo, *m.*, duet.

duplicité, *f.*, duplicity.

durer, last, endure.

dussiez, *impf. subj.* of **devoir.**

E

écart, *m.*, moving aside; **à l'—,** aside, on the side, away from.

écarter, put away, put aside, remove; **s'—,** swerve, move away.

éclairer, give light, enlighten.

éclat, *m.*, brilliancy, what arouses attention, admiration, etc. ; what gives notoriety, scandal; **action d'—,** remarkable, spectacular act.

éclater, shiver, burst out, burst into. [instruction, etc.

école, *f.*, school; method of

écolier, *m.*, schoolboy.

écolière, *f.*, schoolgirl.

écouter, listen.

écrier : s'—, cry out, exclaim.

écrire, write; **écrivant toujours,** keeping on writing.

écrivant, *pres. p.* of **écrire.**

écrouler : s'—, fall into ruins, crumble down.

écumer, foam.

écurie, *f.*, stable for horses.

effacer, efface, make disappear, level; **— les épaules,** draw the shoulders in.

effectivement, efficiently; actually, in fact.

effet, *m.*, effect; **en —,** in fact, in reality.

effort, *m.*, effort.

effrayer, frighten, scare.

effroi, *m.*, fright; **avec —,** frightened.

effusion, *f.*, effusion, vivacity.

égal, *pl.* **égaux**, equal, the same, without difference; **c'est —**, it makes no difference, is all the same; **ça m'est —**, it is all the same to me.

égard, *m.*, mark of esteem, regard, respect.

eh, *see* **bien**.

élan, *m.*, dash, bold onset, enthusiastic movement; **avec —**, with enthusiasm, impulsively.

élancer: s' —, rush forth or forward.

élégant, elegant, refined.

élève, *m. and f.*, pupil.

elle, she, her.

éloge, *m.*, praise; **faire un —**, eulogize.

éloigner, remove; **s' —**, go away, leave.

éloquence, *f.*, eloquence.

embarras, *m.*, embarrassment.

embellir, embellish, beautify, adorn.

embrasser, kiss.

embuscade, *f.*, ambush, ambuscade.

emmener, take or lead away.

émotion, *f.*, emotion.

émouvant, *pres. p. of* **émouvoir**.

émouvoir, move, touch, affect; **ému**, deeply moved.

emparer: s' — de, take or get possession of, arrest.

empêcher, prevent; **s' —**, help doing, keep from doing.

empereur, *m.*, emperor.

empire, *m.*, empire, the Napoleonic empire (1804–1815).

emporter, carry off or away, take along; **l' —**, be victor *or* victorious, beat.

empressement, *m.*, eagerness.

emprisonner, put into prison, imprison.

ému, *pres. p. of* **émouvoir**.

en, in, into; as; of it, of that, of them; **— bourgeois**, as a citizen; **— être**, be of the party; **— attendant**, meanwhile.

enchantement, *m.*, enchantment, charm, delight.

enchanter, charm, captivate.

enchanteresse, *f.*, magician; (*adj.*) enchanting, bewitching.

encore, still, yet; **pas —**, not yet; **—?** anything else? still more? **— une fois**, once more; **hier —**, but yesterday.

encre, *f.*, ink.

énergie, *f.*, energy.

enfance, *f.*, childhood.

enfant, *m.*, child.

enfantin, childlike.

enfin, in fine, finally, in a word.

enflammé, burning.

enflammer, inflame.

enfoncer, knock in, break.

enfourcher, bestride, mount.

engager: s' —, begin, enter into, enlist.

ennemi, *m.*, enemy; (*adj.*) hostile. [fellow.

enragé, *m.*, madman, crazy

enrager, be or become enraged.

enseigner, teach, show how.

ensemble, *m.*, joining of parts (voices in singing, etc.); *adv.* together.

ensuite, then, after this.

entendre, hear, understand; intend; **s'— avec**, have an understanding with; **bien entendu**, a matter of course.

entendu, *p.p. of* **entendre**.

entier, entire.

enthousiasme, *m.*, enthusiasm.

entourer, surround.

entraîner, carry along, or away.

entre, between.

entrer, enter.

entretien, *m.*, conversation.

entrevue, *f.*, interview.

envahir, invade.

envers, toward.

envie, *f.*, desire; **avoir —**, have a mind.

environner, environ, surround.

envoyer, send.

épargner, save, spare.

épaule, *f.*, shoulder.

éperdu, bewildered.

épouser, marry.

épouvante, *f.*, terror.

éprouver, experience, feel.

épuiser, exhaust; **s'—**, become exhausted.

équiper, fit out, equip.

erreur, *f.*, error.

escadron, *m.*, squadron.

escalier, *m.*, stairs, stairway.

escorte, *f.*, escort (*military*).

escorter, escort, accompany.

Espagne, *f.*, Spain; **châteaux en Espagne**, air castles.

espérer, hope, begin to hope.

espoir, *m.*, hope.

esprit, *m.*, mind, wit, intelligence, ingenuity.

essayer, try, essay.

essuyer, wipe off, dry.

est, *pres. of* **être**.

et, and; **— . . . —**, both . . . and.

établir, establish.

était, *imp. of* **être**.

état, *m.*, state, condition, profession.

été, *m.*, summer; **salon d'—**, summer drawing-room.

éteindre, put out, extinguish.

éteint, *p.p. of* **éteindre**.

êtes, *pres. of* **être**.

étiez, *imp. of* **être**.

étoile, *f.*, star.

étonnant, astonishing.

étonnement, *m.*, astonishment.

étonner, astonish.

étouffer, stifle.

étranger, strange, foreign; *m.*, stranger.

être, be; **— à**, belong to; **— de**, belong to; **en — de**, be in regard to; **y —**, have the place, catch the idea; **soit** (*pronounce the* t) be it so; granted; **serait-il?** could it be? **il est** *sometimes* = **il y a**; **ne fût ce que**, were it only.

être, *m.*, being, creature.

eut, *past def. of* **avoir**.

eût, *past subj. of* **avoir**.

évader: s'—, escape, run away; **faire** —, cause or enable to escape.

évanoui, fainting, without consciousness.

évasion, *f.,* flight.

événement, *m.,* happening, event.

exaltation, *f.,* excitement; state of wild enthusiasm.

exalter: s'—, become highly excited or enthusiastic.

examen, (*pronounce* = —min) *m.,* examination, test, trial.

exaspérer, exasperate.

excellent, -e, excellent.

excepté, except.

excès, *m.,* excess.

exciter, excite.

excuser, excuse.

exécuter, execute, fulfill.

exemple, *m.,* example; **par** —! I declare! for instance.

exiger, exact, demand.

existence, *f.,* existence.

expédition, *f.,* expedition.

expliquer, explain.

exploit, *m.,* exploit.

exposer, expose.

exprès, *m.,* messenger.

expression, *f.,* expression.

exprimer, express.

extasier: s'—, go into ecstasy.

extérieur, *m.,* outside, exterior.

F

face, *f.,* face, front.

fâcher: se —, become angry.

fâcheux, fâcheuse, disagreeable.

facile, easy.

façon, *f.,* fashion, manner ; — **sans façon,** without ceremony.

faible, feeble.

faiblir, weaken.

faillir, fail, miss; (*with inf.*) come near, be on the point of; **j'ai failli tomber,** I came near (= just missed) falling.

faire, do, make, cause; — **plaisir,** give pleasure; — **part,** communicate, inform; **en** — **autant,** do as much, do the same, do as well; — **demander,** cause to be asked; — **arrêter,** have arrested; **c'en est fait,** it is all over, there is an end of it; **comment faites-vous donc?** how in the world do you manage? **je ne ferai que,** I shall only.

faisant, *pres. p. of* **faire.**

fait, *pres., also p.p., of* **faire.**

faites, *pres. and imp. of* **faire.**

falloir, *impers.,* be necessary; **il faut,** it is necessary, there is needed; **il me** —, I need, I want; **il** — **que** (*with subj.*), it is necessary that; **il fallait bien,** it was of course necessary.

famille, *f.,* family.

farouche, fierce, savage.

fasse, *pres. subj. of* **faire.**

fatal, -e, fatal.

faudrait, *pres. cond. of* **falloir.**

faut, *see* **falloir.**

faute, *f.,* fault, mistake.

fauteuil, *m.*, armchair.

faux, fausse, false.

faveur, *f.*, favor.

fée, *f.*, fairy.

feignant, *pres. p. of* feindre.

feindre, feign.

feint, *p.p. of* feindre.

félicité, *f.*, happiness.   [late.

féliciter, compliment, congratu-

féminin, -e, feminine.

femme, *f.*, woman; — de chambre, chambermaid.

fenêtre, *f.*, window.

fer, *m.*, iron; *pl.*, fetters.

ferai, *fut. of* faire.

ferez, *fut. of* faire.

ferme, *f.*, farm.

fermeté, *f.*, firmness.

fermier, *m.*, farmer.

fermière, *f.*, farmer's wife.

fervent, ardent, fervent.

fête, *f.*, festivity, birthday party.

feu, *m.*, fire, animation; commander le —, give the command to fire.

fi, — donc, oh, for shame.

fidèle, faithful.

fier : se — à, trust, confide in.

fièrement, proudly, haughtily.

figure, *f.*, face, figure.

figurer, se —, imagine.

file, *f.*, rank, file; feu de —, platoon fire.

fille, *f.*, daughter, girl.

fils, *m.*, son.

fin, fine, sly, sharp.

finesse, *f.*, keenness, slyness, subtlety.

finir, end, finish.

fit, *past def. of* faire.

flacon, *m.*, smelling bottle.

flamme, *f.*, flame.

flatterie, *f.*, flattery.

fleur, *f.*, flower.

flot, *m.*, flood (*tide*).

foi, *f.*, faith; sans —, faithless; ma —! faith! I declare! really!

fois, *f.*, time; une — que j'y suis, when I am once at it; à la —, at the same time, at once.

folie, *f.*, crazy act or idea, folly; la bonne —, what a funny craze!

folle, mad (fou, fol, *m.*).

fonctionnaire, *m.*, public officer, functionary.

fond, *m.*, bottom; rear (*of the stage*).

fondis, *past def. of* fondre.

fondre, melt; burst in *or* upon (sur).

force, *f.*, strength; prendre des —s, recover strength, fortify one's self.

forcer, force, compel.

forêt, *f.*, forest.

formalité, *f.*, form, formality.

formel, formal.

former, form; — un vœu, offer a prayer, pray (*for*).

fort, strong; trop —, too much, unendurable.

fort, *adv.*, very.

fortune, *f.*, fortune.

fortuné, happy, blessed; arbre

—, blessed tree (*orange or lemon tree*).

fossé, *m.*, ditch.

fou, *m.*, madman; *as adj.*, crazy; *adv.*, madly.

fougueux, fiery; impetuous, impulsive.

fouiller, search (*pockets, etc.*).

foule, *f.*, crowd, multitude.

frais, fraîche, fresh, cool, new, untouched, charmingly primitive.

français, French.

franchise, *f.*, frankness.

frapper, strike.

frayeur, *f.*, fright.

frégate, *f.*, frigate.

frémir, tremble.

frère, *m.*, brother.

froid, cold.

froidement, coldly.

froncer, frown; — **les sourcils**, knit one's brow.

front, *m.*, brow, front.

frontière, *f.*, frontier, border line.

fugitif, -ive, fugitive.

fuir, flee.

fuite, *f.*, flight.

fumée, *f.*, smoke.

furieux, furious, mad (**furieuse**, *f.*).

fusiller, shoot, kill by shooting.

fût, *past subj. of* **être**.

fuyez, *pres. of* **fuir**.

G

gages, *m. pl.*, wages.

gagner, gain, earn, win over.

gai, gay.

gaiement, gayly.

gaieté, *f.*, gayety; **de** — **de cœur**, recklessly.

galonné, gold-laced, silver-laced.

galop, *m.*, gallop; **au** —, at a gallop.

galoper, gallop.

garçon, *m.*, young man, hired hand; — **de ferme**, farm hand.

garde, *m.*, watchman, watch.

garde, *f.*, watching, caretaking; **prenez** —, look out.

garder, preserve, keep, guard; **Dieu me garde!** Heaven forbid! **se** — **de**, be careful not to.

gâter, spoil.

gauche, left; awkward; **à** —, to the left; **de** —, on the left.

gazon, *m.*, turf, grass plot.

gendarme, *m.*, armed policeman (*both on foot and on horseback*); member of the state constabulary.

gendarmerie, *f.*, armed police on horseback; state constabulary.

gêner: **se** —, stand on ceremony; be shy; be not at one's ease; **ne vous gênez pas**, do as if you were in your own house, don't be diffident.

général, *m.*, general.

génie, *m.*, spirit, genius; **du** —, a stroke of genius.

genou, *m. pl.* **genoux,** knee.

gens, *pl.,* people, servants.

geôlier, *m.,* jailer.

geste, *m.,* gesture.

glacer, turn to ice.

glisser, glide, slip.

gloire, *f.,* fame, reputation, glory.

gourmet, *m.,* fond of choice eating.

goût, *m.,* taste.

gouvernement, *m.,* government.

grâce, *f.,* gracefulness, thanks, pardon, mercy; **de —,** please, pray, oblige me; **an de —,** year of our Lord; A.D.

gracier, pardon, amnesty.

grand, -e, great, large, tall.

grave, grave, serious.

gravement, gravely.

gronder, scold.

grossier, coarse, rude.

guéridon, *m.,* round table with one leg in the center, center table.

guérir, heal, get well, recover.

guerre, *f.,* war.

guetter, lie in wait, watch.

guides, *f. pl.,* the lines.

H

habile, skilled, adroit, smart.

habileté, *f.,* skill, ability.

habit, *m.,* coat; **— de cheval,** *m.,* riding habit.

habitant, *m.,* inhabitant.

haie, *f.,* hedge.

hardiment, boldly.

hâter: se —, hasten.

haut, loud, aloud, high (**haute,** *f.*).

hein? well? what now?

hélas! alas! oh!

héroïque, heroic.

héroïsme, *m.,* heroism.

héros, *m.,* hero.

hésitation, *f.,* hesitation.

hésiter, hesitate.

heure, *f.,* hour; **à la bonne —,** very good, indeed, very well (*with different other allied meanings, as suggested by the context*); **tout à l'—,** just now; pretty soon.

heureusement, fortunately.

heureux, -se, happy.

hier, yesterday.

homme, *m.,* man.

homme de peine, hired hand.

honneur, *m.,* honor.

honorable, honorable.

honoraires, *m. pl.,* fee, compensation, pay.

honte, *f.,* shame; **avoir —,** be ashamed.

horizon, *m.,* horizon.

horreur, *f.,* horror.

hors, beside, outside; **— de lui,** beside himself; **— de soi,** beside one's self.

hôte, *m.,* host, guest.

huit, eight; **— jours,** a week.

humeur, *f.,* ill-humor, anger; **avec —, d'—,** ill-humoredly, peevishly.

hypocrite, hypocrite.

I

ici, here; **d'—**, from now; **par —**, this way.

idée, *f.*, idea.

ignorer, not to know.

il, he, it; *impers.* there; *see* **y**.

illusion, *f.*, illusion.

imagination, *f.*, imagination.

imaginer, imagine.

imbécile, stupid.

imiter, imitate.

immobile, motionless.

impatienter: **s'—**, become impatient.

impertinence, *f.*, impertinence.

implorer, implore.

importance *f.*, importance; **se donner de l' —**, assume an air of importance.

important, important.

importer, matter, be of consequence, be of interest; **que m'importe**, what do I care?

importun, troublesome, inopportune.

importuner, trouble.

importunité, *f.*, importunity, want of patience.

impossible, impossible.

impression, *f.*, impression.

imprévu, unforeseen.

improviste: **à l'—**, unexpectedly.

imprudemment, imprudently.

incendie, *m.*, conflagration.

incliner: **s'—**, bow, incline.

inconcevable, inconceivable.

inconnu, unknown, strange; *m.*, unknown person, stranger.

inculte, rude, uncultivated, unpolished.

indifférent, indifferent.

indigné, indignant.

indigner: **s'—**, become indignant.

indiquer, point out, indicate.

indompté, unconquered, unsubdued.

ineffable, inexpressible.

inexpérience, *f.*, lack of experience.

inexpérimenté, inexperienced.

infanterie, *f.* infantry.

infernal, **-e**, infernal.

infidèle, unfaithful.

inflexion, *f.*, modulation of the voice, inflection.

informer, inform, instruct; **s'— de**, find out about, inquire about.

ingrat, ingrate, ungrateful.

injure, *f.*, insult, injury.

innocent, innocent.

inondation, *f.*, inundation, flood.

inouï, unheard of.

inqualifiable, incapable of being properly described, insulting, unfit to be mentioned.

inquiéter: **s'—**, worry over, be restless, uneasy.

inquiétude, *f.*, uneasiness; **d'une —**, so very uneasy.

insensé, senseless, crazy.

insolent, insolent.

insouciance, *f.*, carelessness, recklessness.

inspirer, inspire.

installation, *f.*, establishment.

installer: s' —, assume functions, establish one's self.

instant, *m.*, instant, moment; à l' —, in a moment.

instruction, *f.*, instruction.

insulter, insult.

insupportable, unbearable.

intelligence, *f.*, understanding.

interdit, dumbfounded.

intéresser, interest.

intérêt, *m.*, interest; porter de l' —, be interested (in a person).

interrogatoire, *m.*, questioning, interrogatory.

interroger, interrogate.

interrompre, interrupt.

intrépide, bold, intrepid.

intrépidité, *f.*, boldness, intrepidity.

intriguer, intrigue ; perplex.

invasion, *f.*, invasion.

inviter, invite.

ira, *fut. of* aller.

ironiquement, ironically.

irrité, irritated, angry.

issue, *f.*, issue, outcome.

ivresse, *f.*, intoxication.

J

jamais, ever ; never (*with* ne *expressed or understood*).

je, I.

jeter, throw; se —, throw one's self, plunge.

jeune, young.

jeunesse, *f.*, youth.

joie, *f.*, joy, delight; avec —, delightedly.

joli, pretty.

jour, *m.*, day; *pl.*, life, existence.

journal (*pl.*, journaux), *m.*, newspaper, journal.

joyeux, -euse, joyous, gay.

juge, *m.*, judge.

jugement, *m.*, judgment.

juger, judge, form an opinion.

jupe, *f.*, skirt, gown.

jurer, swear, curse.

jusque, jusqu'à, as far as, until, down to, even; jusque-là, so far, as far as that.

juste, correct, right; c'est trop —, it is perfectly true *or* correct.

justement, exactly.

L

la, *f.*, the; *pron.*, her, it.

là, there, yonder.

lâche, cowardly; *m.*, coward.

laisser, leave, let; laissez faire, let (*it*) be done.

langage, *m.*, speech, way of talking.

langue, *f.*, tongue, language.

larme, *f.*, tear.

las, lasse, tired, weary.

latéral, at the side, lateral; porte —e, side door.

latin, Latin.

le, the; *pron.*, him, it; so.

légèrement, lightly, slightly.

légitime, legitimate, justifiable.

légitimité, *f.*, legitimacy.

lendemain, *m.*, next day, following day.

lequel, laquelle, who, which, which one.

les, *pl.* of **le** *and* **la**.

lesquelles, *f. pl. of* **laquelle**, which, who.

lettre, *f.*, letter.

leur, to them; their.

lever, raise; **se —**, rise; **au —**, at the rising.

liberté, *f.*, liberty.

libre, free.

lier, tie, bind; **lié**, firmly bound.

lieu, *m.*, place.

lieue, *f.*, league (*about* 2½ *miles*).

lièvre, *m.*, hare.

ligne, *f.*, line.

lion, *m.*, lion.

lire, read.

lis, *pres.* of **lire**.

lisant, *pres. p. of* **lire**.

livrée, *f.*, servants' livery; the servants in a body.

livrer, deliver.

loin, far, distant.

l'on = on.

long, -ue, long.

longtemps, long (*time*).

lorsque, when.

louis d'or (*from King Louis*), a gold coin worth about $4.

lu, *p.p.* of **lire**.

lui, to him, to her; **à —** (*emphatic*) to him.

lui-même, himself.

lumière, *f.*, light.

lutter, struggle, fight.

luxe, *m.*, luxury, lavish display.

M

M., abbreviation of **Monsieur**, used in writing when the person is not addressed or not present. *Pl.*, **M.M.** = **Messieurs**. Cf. Eng. Messrs.

ma, *f.*, my.

Madame, Mrs., Madam; the lady; **pour —**, for the lady.

Mademoiselle, the young lady; Miss.

madrigal, *m.*, a kind of light verse; **des madrigaux**, amorous talk, cajolery.

magistrat, *m.*, government official, magistrate.

main, *f.*, hand.

maintenant, now.

mais, but; *colloquially* more; **je n'en puis —**, I can't help it, I am not to blame.

maison, *f.*, house; **à la —**, at home.

maître, *m.*, master; **— des requêtes**, actuary or the like; a government officer who keeps a record of petitions, complaints, etc.; **les —s**, master and mistress (*in regard to servants*).

maîtresse, *f.*, mistress.

majesté, *f.*, majesty.

mal (*pl.*, **maux**), *m.*, misfortune; evil; harm; **en —**, in a bad sense, by foul means; *adv.*, badly.

maladroit, awkward.

malédiction, *f.*, curse.

malgré, in spite of.

malheur, *m.*, misfortune ; **par —**, unfortunately.

malheureux, -euse, unhappy.

malmener, abuse, maltreat.

maltraiter, abuse.

manie, *f.*, mania.

manière, *f.*, manner.

manquer, lack; **il ne vous manque que . . .**, you only need, all you need is; **— de respect à**, be disrespectful to; **— (de) chavirer**, come near upsetting.

mansarde, *f.*, room in the attic.

marché, *m.*, market place.

marcher, march, walk.

maréchal des logis, *m.*, quartermaster.

marié, married (*from* **se marier**).

marier, se —, marry, get married.

marquise, *f.*, marchioness; **petite —**, see the high-born little lady.

matin, *m.*, morning.

maudire, curse.

maudissez, *pres. and imp. of* **maudire**.

maudit, cursed.

mauvais, -e, bad.

méchant, wicked, bad, naughty.

méconnaître, not know aright, misunderstand.

médecin, *m.*, doctor, physician.

mélange, *m.*, mixture, mingling.

mêler, mingle, mix.

même (*preceding a noun*), same; (*following a noun*), self; even; **de —**, in the same manner, the same thing; **sur une — branche**, on one and the same branch.

menacer, menace, threaten.

mener, lead, take to, use.

mensonge, *m.*, falsehood, lie.

menteur, -euse, lying, mendacious; *as noun*, liar.

mépriser, despise.

mer, *f.*, sea.

merci, thank you.

mère, *f.*, mother.

mérite, *m.*, merit.

mériter, be worthy of, merit.

merveille, *f.*, marvel; **à —,** first-rate, admirably.

mes, *pl. of* **mon, ma**, my.

Mesdames, *pl. of* **Madame**.

mesure, *f.*, measure (*in music*).

méthode, *f.*, method.

mettre, put, put on; **— à profit**, put to use, utilize ; **— à prix**, put a price on; **se — à**, begin; **— à genoux**, kneel.

meurs, meurt, *pres. of* **mourir**.

mien (le), mienne (la), les —s, mine.

mieux, better, the more easily; **de — en —**, better and better.

milieu, *m.*, middle, center; **au — de**, in the midst of, amid.

militaire, military; *m.*, military man.

mille, thousand.

mine, *f.*, expression of the face.

ministre, *m.*, minister, cabinet officer, head of a state department.

minute, *f.*, minute.

miroir, *m.*, mirror.

mis, *p.p. and past def. of* **mettre** (**mise**, *f.*).

mission, *f.*, mission, commission, message (*for publication*).

mode, *f.*, fashion.

modeste, modest, discreet, guarded.

moi, I, to me, me; (*emphatic*), I; **et — donc!** how must *I* feel!

moi-même, myself.

moins, less; **du —**, at least; **à —**, at less than that; **à — que** (*with subj.*), unless.

mois, *m.*, month.

moitié, *f.*, half, moiety.

mon, *m.*, my.

monarchie, *f.*, monarchy.

monde, *m.*, world, people; **tout le —**, every one.

monsieur, *m.*, gentleman, Mr.;

monstre, *m.*, monster. [Sir.

monter, mount, come up, ride.

montrer, show, point out.

moquerie, *f.*, mockery.

mort, *p.p. of* **mourir**.

mort, *f.*, death.

mortel, **-le**, mortal, deadly.

mot, *m.*, word, remark; **voilà**

le — de, that was spoken like . . .

motif, *m.*, motive.

mouchoir, *m.*, handkerchief.

mourir, die.

mourra, *fut. of* **mourir**.

mouvement, *m.*, movement.

moyen, *m.*, means, remedy.

muet, **-te**, mute, not counting, of no consequence.

mystère, *m.*, mystery.

mystérieux, mysterious.

N

naïf (*cf.* **native**), childlike, ingenuous, artless but intelligent, unsophisticated.

naissance, *f.*, birth, descent, high birth.

naître, be born, arise.

nature, *f.*, nature.

naturel, natural; *m.*, character.

né, **née**, *p.p. of* **naître**.

ne, not; **— pas**, **— point**, not; **— personne**, nobody; **— que**, only; **— plus**, no more, no longer; *it is understood when a verb is omitted*.

nécessaire, necessary.

nerveux, nervous.

neveu, *m.*, nephew.

niais, silly, foolish.

nièce, *f.*, niece.

nier, deny.

noble, noble.

noblesse, *f.*, nobility.

noircir, blacken.

nom, *m.*, name.

nomination, *f.,* appointment.

nommer : se —, be named, have the name of.

non, no; **— pas,** no, not so.

Normandie, province of Northern France.

note, *f.,* note.

notre, *pl.* **nos,** our.

nôtre, le, la, ours.

nous, we, us.

nouveau, *adj.,* new (*f.,* **nouvelle**).

novice, *m.* and *f.,* novice.

O

obéir, obey.

objet, *m.,* object.

obliger, oblige.

occasion, *f.,* opportunity.

occuper, occupy; **s' —,** devote one's self to.

octobre, *m.,* October.

offenser, offend, insult.

offert, *p.p. of* **offrir.**

officier, *m.,* officer.

offrir, offer.

offusquer, displease, give umbrage to, annoy.

on, l' on, one, some one, people, they, etc.

opinion, *f.,* opinion.

opposer : s' —, oppose.

oppresser, oppress, weigh upon.

orchestre (*orkè-stre*), *m.,* orchestra.

or donc, now then.

ordonnance, *f.,* decree, order, ordinance.

ordonner, command, order.

ordre, *m.,* order, command.

oreille, *f.,* ear.

orgueil, *m.,* pride, haughtiness.

original, unique, unequaled, beating or surpassing everything; **c'est —,** that beats everything!

ornement, *m.,* ornament.

oser, dare.

ou, or; **— . . . —,** either . . . or.

où, where.

oublier, forget.

oui, yes; **ah bien —!** the idea! such a question!

ouragan, *m.,* hurricane.

outrage, *m.,* insult.

outrager, insult.

ouvrage, *m.,* work, embroidery, etc.

ouvrant, *pres. p. of* **ouvrir.**

ouvrir, open; **s'—,** open (*intrans.*).

P

pâle, pale.

palefrenier, *m.,* stable boy.

pâlir, turn pale.

papier, *m.,* paper.

par, through, by.

paraissant, *pres. p. of* **paraître.**

paraître, seem, appear.

parc, *m.,* park.

parce que, because.

parcourir, run through, run one's eye over.

parcours, *pres. of* **parcourir.**

pardon, *m.,* pardon.

pardonner, pardon.

pareil, -le, like, equal, similar.

parent, *m.*, relative.

parer, adorn.

parfait, perfect; all that can be desired; extremely obliging.

parfois, occasionally, sometimes.

parier, bet.

parler, speak.

parole, *f.*, word.

pars, *pres. of* partir.

part, *f.*, part; à —, aside; faire —, communicate, report; quelque —, somewhere.

partage, *m.*, share.

partager, share.

particulier, special, particular.

partir, leave, depart.

partout, everywhere.

parut, *past def. of* paraître.

pas, *m.*, step, pace; sur les — de, following closely; *adv.*, ne —, not, no.

passer, pass, spend; figure as; step over, happen; — avant, precede, go ahead.

passion, *f.*, passion.

passionné, -e, impassioned, passionate.

passionner, inflame, impassion.

paternel, -le, paternal.

pauvre, poor.

payer, pay.

pays (*pé-i*), *m.*, country.

paysan, *m.*, peasant.

peau, *f.*, skin, hide.

peindre, paint; se —, appear, spread over.

peine, *f.*, hard work; penalty; torment; à —, hardly, scarcely, with difficulty; *conjunction*, à peine . . . que. . ., scarcely. . . than. . . (*or* when).

peint, *p.p. of* peindre.

peloton, *m.*, platoon.

pendant, during.

pendre, hang.

pénible, painful, difficult, unpleasant.

pensée, *f.*, thought; j'ai dans la —, I have the idea, I am thinking.

penser, think, believe; j'y pense, it occurs to me; y penses-tu, are you serious? you don't mean it, do you? are you crazy?

perdre, lose, ruin; se —, undo one's self.

père, *m.*, father.

perfidie, *f.*, perfidy.

péril, *m.*, peril, danger.

périr, perish.

perle, *f.*, pearl.

permettre, permit, allow.

permis, *p.p. of* permettre.

permission, *f.*, permission, permit.

perron, *m.*, porch.

persévérant, persevering.

personne, *f.*, person; *m.*, *as indef. pron.*, any one, no one (*with* ne *understood*).

perte, *f.*, loss, ruin.

peser, oppress, weigh; il m'en pèse, it weighs on my mind.

peste, *f.*, plague.

petit, -e, little, small.

peu, little; — de, few; à — près, nearly, almost; un —, for once, a little, just.

peur, f., fear; avoir —, be afraid; on aurait — à moins, a person might be frightened at less.

peureux, timid.

peut, pres. of pouvoir.

peut-être, perhaps, possibly.

peux, pres. of pouvoir.

pièce, f., piece, apartment; — d'eau, small lake, pond.

pied, m., foot; valet de —, footman; see valet.

piège, m., snare, trap.

pis, worse.

pitié, f., pity.

placard, m., small closet (in the wall).

place, f., place, square; à la — de, instead of.

placer, to place.

plaignant, pres. p. of plaindre.

plaindre, pity; se —, complain.

plaire, please, amuse.

plaisir, m., pleasure.

plaît, pres. of plaire.

plan, m., division of the stage, plan.

plateau, m., plate, tray.

plein, full; —e Vendée, in the very heart of Vendée.

pleurer, weep, cry.

plume, f., pen, feather.

plus, more, longer; ne —, no longer; — de, more, above, (before a number) more than;

de —, longer, more, moreover, besides; au —, at the most, at best; — de danger, no more danger.

plusieurs, several.

plutôt, rather.

poche, f., pocket.

poétique, poetic.

point, m., dot, point; de — en —, in every detail.

pointe, f., tip, point.

pointer, point, rise (as birds, etc.).

poitrine, f., breast, chest.

politique, f., politics; diplomatic, shrewd, political.

poltron, m., coward.

pompe à incendie, f., fire engine.

ponette, f., pony.

porte, f., door.

portefeuille, m., portfolio.

porter, carry, bring; — malheur, mean or bring misfortune; — de l'intérêt, take interest in.

porteur, m., bearer, carrier.

portrait, m., picture, portrait.

poser, place, put down.

possible, possible.

poste, m., post, duty assigned.

pour, for, in order to; — cela, for that reason; — que, in order that.

pourquoi, why.

pourra, pourrai, etc., fut. of pouvoir.

pourrais, cond. of pouvoir.

poursuivre, pursue.

pourtant, however, nevertheless.

pourvu que, provided that.

pousser, push, drive; utter (*a cry*).

poutre, *f.,* beam, timber.

pouvoir, be able; may; **je pourrai,** it is possible that I may; **je pourrais,** I might.

pouvoir, *m.,* power, authority.

pratique, *f.,* practice.

pratique, practical.

précédent, preceding.

précipiter, plunge headlong, precipitate.

précis, precise, exact.

précisément, exactly, precisely.

prédécesseur, *m.,* predecessor.

préfecture, *f.,* office of prefect.

préfet, *m.,* prefect, the head of a French *département*.

premier, -ère, first.

prenant, *pres. p. of* **prendre.**

prendre, take; — **des forces,** lay up strength, fortify one's self; — **garde,** be careful; **le feu vient de —,** a fire has just broken out.

prenez, *pres. of* **prendre.**

prérogative, *f.,* prerogative.

près, near; — **de,** near.

présence, *f.,* presence; **en — de,** facing.

présent, present; **à —,** now, at present.

présenter, present, introduce.

presque, almost, nearly.

pressé, in a hurry.

presser, urge.

prêt, ready.

prêter, lend; — **serment,** take an oath.

prétexte, *m.,* pretext.

preuve, *f.,* proof.

prévenir, inform, tell beforehand.

prévoie, *pres. subj. of* **prévoir.**

prévoir, foresee, anticipate.

prévôtal, of the provost; **cour —e,** provost court, a military court with right to proceed summarily; court martial.

prévoyance, *f.,* foresight, anticipation.

prier, pray, request.

prière, *f.,* request, prayer.

principal, principal, most important.

pris, *p.p. of* **prendre.**

prison, *f.,* prison, jail.

prisonnier, *m.,* **prisonnière,** *f.,* prisoner.

priver (de), deprive (of), force to go without . . .

prix, *m.,* price, prize; **au — de,** at the price or cost of.

procédé, *m.,* procedure.

procès, *m.,* lawsuit, process.

prochain, near, next; *m.,* neighbor.

procureur, *m.,* procurator, prosecuting attorney, state attorney.

profit, *m.,* profit.

promenade, *f.,* airing, excursion; — **en rade,** a pleasure sail in the roadstead or harbor.

promener, take out into the open air; **se —**, walk up and down, take an airing.

promesse, *f.*, promise.

promettre, promise.

promis, -e, *p.p. of* **promettre**.

prononcer, pronounce.

propos, *m.*, talk; **à — de**, speaking of, as regards.

proscrit, *m.*, **proscrite**, *f.*, outlawed person, outlaw.

protégé, *m.*, one under the protection of another.

prouver, prove.

provoquer, provoke, call out for a duel.

prudence, *f.*, prudence.

pu, *p.p. of* **pouvoir**.

public, *m.*, (*the*) public.

puis, then, afterwards.

puisque, in as much as, since.

puisse, *pres. subj. of* **pouvoir**.

punir, punish.

pur, pure.

Q

qualité, *f.*, quality.

quand, when; **— je te le disais**, just as I told you, didn't I tell you?

quant à, as regards, as to.

quart, *m.*, quarter.

quatorze, fourteen.

qu' = **que**.

que, which, whom, when, if, etc., *often representing a preceding* **lorsque**, **quand**, **si**, *etc.*; **ce —**, which, what (that,

which, what, etc.); **— de grâces !** how many charms ! **qu'elle est belle !** how beautiful she is ! **qu'il reste**, let him remain; **c'est —**, because; **qu'est-ce — c'est — cela ?** what is that ? **dire — oui (non)**, say yes (no); **quel —**, whoever; **quoi —**, whatever; **si forte —**, no matter how strong.

quel, -le, which, what, which one.

quelque, some, any; **— chose**, something, anything.

quelque, — que, whoever, whichever, whatever; no matter who, *or* which, *or* what, *or* how.

quelquefois, now and then, sometimes.

quelqu'un, some one, any one.

question, *f.*, question.

qui, who; *sometimes for* what (*subject*) *in questions*.

quinze, fifteen; **— jours**, a fortnight; cf. **huit jours**, a week.

quitter, quit, leave.

quoi, what; **un je ne sais —**, a certain something; **— donc ?** why, what is the matter ? **— que**, whatever.

quoique, although.

R

raconter, tell a story, relate.

rade, *f.*, roadstead, harbor.

rafraîchissement, *m.,* refreshment.

raideur, *f.,* rigidity, stiffness, unyielding disposition.

railler, make fun, laugh at, mock.

raillerie, *f.,* raillery.

railleur, in a mocking way.

raison, *f.,* reason; **avoir —,** be right, be in the right.

raisonnable, reasonable.

raisonnement, *m.,* reasoning, argument.

rameau, *m.,* branch, bough, twig.

ramener, bring, take or lead back.

rang, *m.,* rank.

ranger, line up, put in a straight line.

rappeler, recall; **se —,** recall, remember.

rapport, *m.,* report, relation, reference, connection.

rapporter, bring; **se — à,** refer to; **s'en — à,** refer (to) concerning it.

rassurer, put or make at ease; **se —,** calm one's self, become tranquil; **que vos opinions se rassurent,** you need not feel disturbed in your opinions.

rattraper, catch, catch again.

ravir, rob, deprive, carry away, enrapture.

ravissant, bewitching, enrapturing, charming.

réalité, *f.,* reality.

recéler, hide, conceal.

recevoir, receive.

recevra, *fut. of* **recevoir.**

réchauffer, warm, restore warmth; **se —,** become warm.

recherche, *f.,* search, research, pursuit.

recommandation, *f.,* recommendation.

reconnaissance, *f.,* gratitude.

reconnaître, recognize, admit.

reconnu, *p.p. of* **reconnaître.**

reçu, *p.p. of* **recevoir.**

redescendre, come down, or back, again.

redoutable, redoubtable.

redouter, fear.

réel, real.

réellement, really.

regard, *m.,* look.

regarder, look at, regard, concern.

régime, *m.,* management, treatment.

regret, *m.,* regret, sorrow.

rejoindre, rejoin; get aboard of.

réjoui, delighted, merry.

réjouir, rejoice, delight.

relever, raise; **se —,** rise.

remarquer, observe.

remerciement, *m.,* thanks.

remercier, thank, offer or return thanks.

remettre, hand, hand over, remit; **se —,** recover (from fright, etc.).

remis, *p.p. of* **remettre.**

remise, *f.,* carriage house.

remonter, mount or go up again; — **la scène,** go again to the rear.

remords, *m.,* remorse.

remplir, fulfill, fill.

renaître, be born again; rise again.

rencontrer, encounter, meet.

rendez-vous, *m.,* meeting agreed upon.

rendre, render, make, express, return, give back.

renfermer, inclose, shut up.

renseignement, *m.,* information.

rentrer, reënter, return.

renvoyer, discharge; send away.

réparer, repair.

reparaître, reappear.

repartais, *impf. of* **repartir.**

repartir, set out again, leave again; **si je repartais,** what if I were to go back.

répéter, repeat, rehearse.

répondre, reply; — **de,** answer for, assume the responsibility for.

réponse, *f.,* reply.

reposer, repose, rest.

repousser, repulse, push back.

reprendre, take again, take back, resume; **se** —, correct one's self; — **ses sens,** come to one's self.

représenter, represent.

réprimer, restrain, check, repress.

réputation, *f.,* reputation.

requête, *f.,* petition ; *see* **maître.**

résister, resist.

résolu, -e, *p.p. of* **résoudre,** resolute.

résolument, boldly, resolutely.

résolution, *f.,* resolution.

résoudre, resolve.

respect, *m.,* respect.

respectueusement, respectfully.

respirer, breathe.

ressemblant, resembling, similar.

ressens, *pres. of* **ressentir.**

ressentir, feel.

resserrer, tighten; **se** —, become narrower.

ressortir (*lit.* come out of) stand out, appear (*in a picture, etc.*).

ressource, *f.,* resource.

reste, *m.,* remainder; **du** —, besides.

rester, remain, stay; **qu'il reste,** let him remain; — **sur place,** stand still.

retenir, retain, hold back, keep.

retient, *pres. of* **retenir.**

retirer, withdraw; **se** —, withdraw, retire.

retourner; se —, turn around.

retracer, retrace.

réunir, unite, combine, bring together.

revanche, *f.,* revenge.

rêve, *m.,* dream.

révéler, reveal, disclose.

revenant, *pres. p. of* **revenir.**

revenir, return, go back, come back, recover consciousness.

révérence, *f.*, courtesy; **faire une —**, drop a courtesy.

rêveur, -se, dreamy, pensive, in a reverie.

reviendra, *fut. of* **revenir**.

reviens, *pres. of* **revenir**.

revoir, see again; **au —**, good-by.

révolter, make a revolt, revolt.

riant, *pres. p. of* **rire**.

riche, rich.

rideau, *m.*, curtain.

ridicule, *m.*, ridicule.

rien, anything, nothing; **ne —**, nothing; **— qu'en vous regardant**, merely by looking at you; **— que pour**, only for *or* to; **— de plus**, nothing more; **— de moins**, nothing less.

riez, *pres. of* **rire**.

rigoureux, -euse, rigorous.

rigueur, *f.*, harshness, severity, rigor.

rire, laugh.

risquer, venture, risk.

rival, *m.*, **rivale**, *f.*, rival.

robe, *f.*, gown.

roi, *m.*, king.

rôle, *m.*, rôle.

roman, *m.*, novel, tale; **du —**, fictitious; **toujours du —**, always acting like the hero of a novel, sentimental, fantastic.

romanesque, sentimental, *as in novels;* interested in novels; like the heroine of a novel.

rose, *f.*, rose.

rougir, redden, blush.

route, *f.*, way, road; **grande —**, highway, main road.

royaliste, *m. and f.*, royalist, monarchist.

royauté, *f.*, kingship, royalty.

ruse, *f.*, wile, trick; **— de guerre**, stratagem of war.

rusé, wily, astute.

Russie, *f.*, Russia.

S

saches, *pres. subj. of* **savoir**.

sachez, *imp. of* **savoir**.

sacré, sacred.

sacrifice, *m.*, sacrifice.

sais, *pres. of* **savoir**.

saisir, seize, catch.

salle, *f.*, large room, hall; **— de bal**, ballroom.

salon, *m.*, drawing-room, parlor.

saluer, salute, bow, speak.

salut, *m.*, rescue, acquittal, safety; *also*, salvation.

sang, *m.*, blood.

sang-froid, *m.*, cold blood, coolness; presence of mind; **allons, du —**, never mind, keep cool.

sanglant, bloody, sanguinary; **—e injure**, mortal insult.

sangloter, sob.

sans, without.

sauf-conduit, *m.*, permit, pass, safe-conduct.

saura, saurez, *fut. of* **savoir**.

sauver, save; **se —**, go away, leave.

sauveur, *m.*, rescuer, savior.

savoir, know, know how, know of, find out, learn.

savourer, relish, savor.

scène, *f.*, scene, stage.

scrupule, *m.*, scruple.

se, himself, herself, itself, themselves; each other, one an- séant, in session. [other.

sèchement, dryly.

second, **-e**, second.

secours, *m.*, help, assistance.

secousse, *f.*, shock.

sécurité, *f.*, security, freedom from anxiety.

séduire, lead astray, bribe.

seigneur, *m.*, lord.

seize, sixteen.

selle, *f.*, saddle.

seller, to saddle; **faire —**, get saddled.

semblable, similar.

sembler, seem.

semestre, *m.*, half a year; **en —**, having a six months' leave of absence.

sénateur, *m.*, senator.

sens, *m.*, sense; **le — commun**, common sense.

sentence, *f.*, sentence (*of death*).

sentinelle, *f.*, sentinel; **en —**, as a sentinel, as sentinels.

sentir, **se —**, feel.

séparer, part, separate.

serait, *cond. of* être.

serez, *fut. of* être.

sérieux, serious.

serment, *m.*, oath; **faire —**, take an oath.

serre, *f.*, hothouse.

serrer, press, squeeze.

sert, *pres. of* **servir**.

service, *m.*, service, routine business, task of a servant.

servir, serve, wait on.

serviteur, *m.*, servant.

ses, his, her.

seul, alone; **à vous toute —e**, as you are, by yourself.

seulement, only; at least; even; **ne — pas**, not even.

sévère, severe.

si, so, if, whether; (*after a negative question*) yes; yes, indeed; **— vous attendiez?** supposing you wait awhile? **— j'y allais?** supposing I should go there?

siège, *m.*, seat.

signal, *m.*, sign.

signalé, distinguished, signal.

signalement, *m.*, description (*of a fugitive from justice*).

signaler, mark, distinguish.

signature, *f.*, signature.

signe, *m.*, sign; **faire —**, indicate by a sign.

signer, sign. [announce.

signifier, signify, mean, read.

silence, *m.*, silence.

simple, plain, simple.

singulier, odd, strange.

sinon, unless; except.

situation, *f.*, situation.

situé, situated.

sœur, *f.*, sister.

soi, one's self.

soigner, take care of.

soir, *m.*, evening.

sois, soit ! *subj. of* être.

soldat, *m.*, soldier (*private*).

solder, pay; *hence* soldat.

solennité, *f.*, festivity, solemnity.

solliciter, solicit.

sommeil, *m.*, sleep, slumber.

son, his, her.

sonder, sound, probe.

songer, dream, think of.

sonner, ring the bell.

sonnette, *f.*, small bell.

sont, *pres. of* être.

sort, *m.*, fate, lot, fortune.

sort, *pres. of* sortir.

sorte, *f.*, kind, sort.

sortir, come out of, go out.

sot, -te, silly.

sottise, *f.*, stupidity; folly.

soudain, sudden, suddenly.

soudoyer, bribe, suborn, incite to rebellion.

souffrais, *impf. of* souffrir.

souffrir, suffer.

soumettre, submit.

soupçon, *m.*, suspicion.

soupçonner, suspect.

soupçonneux, suspicious.

soupir, *m.*, sigh.

sourcil, *m.*, eyebrow.

souriant, *pres. p. of* sourire.

sourire, smile; *m.*, smile.

souris, *pres. of* sourire.

sous, under.   [lieutenant.

sous-lieutenant, *m.*, second

sous-officier, *m.*, non-commissioned officer.

soutenant, *pres. p. of* soutenir.

soutenir, maintain, sustain.

soutiendrez, *fut. of* soutenir.

souvenir: se —, remember; **vous souvenez-vous ?** do you remember?

souvenir, *m.*, recollection, remembrance.

souvent, often.

soyez, *imp. of* être.

spectateur, *m.*, spectator, onlooker.

stupéfait, dumfounded.

su, *p.p. of* savoir.

subir, undergo.

subjonctif, *m.*, subjunctive.

suffire, suffice, be enough.

suffit, *pres. of* suffire.

suis, *pres. of* être.

suis, *pres. of* suivre.

suite, *f.*, series, row; **tout de —**, immediately.

suivre, follow; — **par**, follow by; — **de**, follow with, by.

sujet, *m.*, subject.

superbe, magnificent.

supplément, *m.*, supplement, addition.

supplier, supplicate, beseech.

supposition, *f.*, supposition.

sur, on, upon; — **place**, without moving; on the spot.

sûr, sure.

surcroît, *m.*, excess; — **de gages**, extra wages.

surprendre, surprise.

surprise, *f.*, surprise.

surtout, especially.

survivre à, survive.

sympathie, *f.*, sympathy.

T

table, *f.*, table; **à —**, at the table.

tableau, *m.*, painting.

tâcher, try, endeavor.

taire: se —, be silent.

taisez-vous, *see* **se taire**.

talent, *m.*, talent.

tandis que, while.

tant, so much, so very; (*with compar.*), so much the; **— que**, as long as; **— il est**, it is so . . . ; **—mieux**, so much the better ; **— y a-t-il**, so much is certain.

tante, *f.*, aunt.

tarder, be late, be long (*time*).

tardif, -ve, belated, late.

te, thee, you.

tel, telle, such.

tellement que . . ., so much so that . . ., to such a degree that . . .

témérité, *f.*, rashness, daring, boldness.

témoin, *m.*, witness.

temps, *m.*, time, weather; **d'ici à peu de —**, after a little while.

tenant, *see* **tenir**.

tendre, stretch or hold out.

tendre, tender, loving, lovable.

tendresse, *f.*, love, affection, tenderness.

tenez ! *pres. of* **tenir**.

tenir, hold, hold in one's hand; **— à**, set store by, value, care to, be anxious to, consider

important; **— de**, partake of, have from, inherit from, take after, have in common with; **il a de qui —**, he comes from good stock; **se — debout**, stand, remain standing; **tenez !** see there ! listen.

tenter, try, attempt.

terme, *m.*, term, end.

terminer, finish, terminate, make up (*one's mail*).

terre, *f.*, land, earth.

terreur, *f.*, terror.

terrible, terrible.

tes, *pl. of* **ton**, **ta**.

tête, *f.*, head.

théâtre, *m.*, theater, stage.

théorie, *f.*, theory.

tiens, *pres. of* **tenir**.

tige, *f.*, stem.

timbré, postmarked.

timide, timid.

tirer, pull out; **— sur**, fire upon, shoot; **se — de**, get out of.

titre, *m.*, title; **à — de**, by virtue of, for the reason of being . . .

toi, to thee, thou, thee, you, thyself, yourself.

toit, *m.*, roof.

toiture, *f.*, roofing (**toit**, roof).

tomber, fall.

ton, *m.*, tone, style.

ton, ta, tes, thy, your.

tort, *m.*, wrong; **avoir —**, be wrong; **avoir des — s envers quelqu'un**, have wronged one, be guilty of wrong.

tôt, early, soon ; **le plus — possible, au plus —,** as soon as possible.

touchant, touching.

toujours, always; without interruption; anyway; **veille —,** continue your watch.

tour, *m.*, turn; **à votre —,** in your turn; **— à —,** in turn.

tourbillon, *m.*, whirlwind; **— de flamme, de fumée,** whirling flame or smoke.

tourmenter, trouble.

tourner, turn ; **se —,** turn.

tous, *pl. of* **tout**.

tousser, cough.

tout, toute, each, every, all; **tous deux, toutes deux,** both; **du tout** (*not*) at all (**ne pas** used or understood).

tout, quite, entirely; **— en décachetant,** while keeping on opening letters, or without interrupting the work (*of opening letters*); **— en vous attendant,** at the very time while I was waiting for you; **— à coup,** all at once, suddenly; **— de suite,** at once, directly ; **— à l'heure,** just now, in a little while.

trace, *f.*, trace; **sur les —s,** in pursuit.

tracer, trace, write.

trahir, betray.

trahison, *f.*, treason.

traîner, drag.

trait, *m.*, feature; shaft, arrow;

trait; **— de lumière,** flash of light.

traiter, treat, deal.

traître, *m.*, traitor.

tranquille, tranquil, quiet.

tranquillement, calmly.

transporter, transport.

travailler, work.

travers, across; **à —,** through.

traverser, pass or go through, cross over (*as in a quadrille*).

treize, thirteen.

trembler, tremble.

trentaine, *f.*, thirty, a score and a half.

trente, thirty.

très, very.

tressaillir, tremble, quake, shiver.

triompher, triumph.

trois, three.

tromper, deceive, cheat; **se —,** be mistaken.

trop, too much, too many, *with* **de;** very greatly, very; **c'est — fort,** that is too much; **sans — comprendre,** without understanding very well (*any too well*).

trouble, *m.*, confusion, disturbance, disorder.

troubler, put into confusion; **se —,** become confused.

troupe, *f.*, troop.

trouvaille, *f.*, something found; a windfall; **faire une belle —,** make a nice find (*ironically*).

trouver, find.

tuer, kill.

U

un, une, a, an; one; et d'un, well, that's one (i.e. advantage, agent, or tool) gained.

uniforme, m., uniform; grand —, parade uniform.

uniquement, solely, exclusively, only.

unir, unite, combine.

usage, m., use; à mon —, for my benefit.

user, make use of, wear out.

utile, useful.

V

va, pres. and imp. of aller.

vague, vague, hazy.

vain, vain; en —, in vain.

vaincre, conquer.

vaincu, p.p. of vaincre.

vais, pres. of aller.

valet, m., servant, valet.

valoir, have value, be worth; qui a pu me —, what can have procured me? = qu'est-ce qui, etc., see qui.

vanité, f., vanity.

vanter, boast, brag; se —, boast.

vaut, pres. of valoir.

veiller, watch, keep watch, guard.

veine, f., vein.

Vendée, f., an ancient province of north-western France, now divided.

vendéens, inhabitants of the Vendée, stanch royalists, who rose in rebellion against the First republic.

venger, avenge; se —, take revenge.

venir, come, come to; — de, have just; vient d'arriver, has just arrived; en venir à, get at; où veut-il en —? what is he driving at? le voilà qui vient, there he is coming.

vérifier, verify, examine.

véritable, genuine, real.

vérité, f., truth.

verra, verrez, fut. of voir.

verrais, pres. cond. of voir.

vers, toward.

vers, m., verse.

verve, f., animation, mettle, sprightly humor, dash; mettre en —, spur on, put one on his mettle.

vêtements, m., clothes; articles of dress.

veuille, subj. of vouloir.

veuillez, imp. of vouloir.

veulent, pres. of vouloir.

veux, veut, pres. of vouloir.

victoire, f., victory.

vie, f., life.

vieillard, m., old man.

vieille, f. of vieux.

vienne, pres. subj. of venir.

vient, viennent, pres. of venir.

vieux, vieille, old.

vif, alive, lively, quick.

vigueur, f., vigor, strength.

vingt-cinq, twenty-five.

vis, *past def. of* **voir.**

visage, *m.,* face, countenance.

vis-à-vis, in regard to; opposite to; **faire —,** face the opposite couple.

vite, quick, quickly.

vivacité, *f.,* vivacity.

vive, *imp. of* **vivre.**

vivement, with animation, with vivacity.

vivre, live; **vive!** long live!

vœu, *m.,* desire, prayer, vow.

voici, see here, here is; **le —,** here he or it is, the matter is as follows; **les —,** here they are.

voie, *pres. subj. of* **voir.**

voilà, see there, there is; **le —,** there he is; **— qui est,** that is . . .

voile, *m.,* veil.

voir, see; **y —,** be able to see.

voisin, *m.,* neighbor; *adv.,* in the neighborhood, near.

voiture, *f.,* carriage; **— de place,** hack, public or hired carriage.

voix, *f.,* voice, vote.

vos, *pl. of* **votre.**

votre, your.

voudrais, voudrait, *cond. of* **vouloir.**

voulaient, *impf. of* **vouloir.**

voulant, *pres. p. of* **vouloir.**

vouloir, be willing, wish, want;

que voulez-vous? what can we do? how can you help it? **veuillez,** please; **— dire,** mean; **en — à,** bear one a grudge, be displeased or angry with; **je le voudrais bien,** I should like it well enough; of course, I should like it; **en voulant,** while wishing or wanting.

vous, you, to you, to yourself; **dites- —,** say to yourself.

voyager, travel.

voyais, *impf. of* **voir.**

voyons, *imp. of* **voir.**

vrai, true.

vraiment, truly, really.

vu, *p.p. of* **voir.**

vue, *f.,* view, sight.

Y

y, to it, in it, at it, of it, of them; there; **— avoir,** be, be the matter; **qu'y a-t-il?** what is the matter? **il y a,** there is, there are; **— être,** have the place, be at the place, etc., know about; **il — a un mois,** a month ago.

yeux, *pl. of* **œil,** *m.,* eye.

Z

zèle, *m.,* zeal.